Oscar Wilde

El fantasma de Canterville y otros cuentos

Colección *Filo y contrafilo* dirigida por
Adrián Rimondino y Enzo Maqueira.

Ilustración de tapa: Fernando Martínez Ruppel.

El fantasma de Canterville
y otros cuentos
es editado por
EDICIONES LEA S.A.
Av. Dorrego 330 C1414CJQ
Ciudad de Buenos Aires, Argentina.
E-mail: info@edicioneslea.com
Web: www.edicioneslea.com

ISBN 978-987-718-463-1

Queda hecho el depósito que establece la Ley 11.723.

Primera edición. Impreso en Argentina.
Febrero de 2017. Gráfica MPS S.R.L.

Wilde, Oscar
El fantasma de Canterville y otros cuentos : estudio preliminar y edición de Federico Von Baumbach / Oscar Wilde ; editado por Federico von Baumbach. - 1a ed . - Ciudad Autónoma de Buenos Aires : Ediciones Lea, 2016.
Libro digital, EPUB - (Filo y contrafilo ; 47)

Archivo Digital: descarga
ISBN 978-987-718-463-1

1. Cuentos Fantásticos. I. von Baumbach, Federico, ed. II. Título.
CDD Ir823

Oscar Wilde

El fantasma de Canterville y otros cuentos

Introducción, edición y selección
de Federico von Baumbach

Introducción

El dandi "anarquista" de la corte victoriana

"La vida no puede escribirse; sólo puede vivirse", paradójicamente escribió alguna vez. Y él la vivió. Y también la escribió. Como poeta. Como dramaturgo. Como novelista. Como periodista y editor. Como cuentista.

Oscar Fingal O'Flahertie Wills Wilde nació en Dublín, Irlanda, en 1854.

Wilde fue esencialmente un poeta. Desde 1875, cuando ingresó en el Magdalen College de la Universidad de Oxford, sus poemas comenzaron a publicarse en la Dublin University Magazine y la Month and Catholic Review. En 1878 ganó el prestigioso premio Oxford Newdigate Prize por su poema "Ravenna" y tres años después, en 1881, compiló, revisó y editó su libro *Poems*, con una gran repercusión de la crítica y de los lectores; en su primera impresión vendió más de 750 ejemplares.

Fue prolífica su producción poética, quizá "La balada de la cárcel de Reading", que escribió durante su estadía en la comuna francesa de Berneval, sea la pieza poética que alcanzaría mayor reconocimiento entre los lectores del siglo XX, concebida dos años antes de su muerte.

Con una profunda formación en literatura clásica inglesa, que incluía las obras de autores griegos, adquirida en especial en el Trinity College de Dublín, el poeta irlandés adhirió desde sus inicios en la vida literaria y artística al principio o movimiento estético acuñado por el filósofo y escritor francés Víctor Cousin denominado como esteticismo (representado por William Morris y Stéphane Mallarmé, entre otros): el arte por el arte; el arte como forma o concepción intensa del individualismo. Y no solamente adhirió, sino que además fue un exquisito conferencista acerca de este tema y del Renacimiento inglés. En 1882 viajó a los Estados Unidos para disertar en un ciclo de conferencias que tuvo su epicentro en Nueva York. "[...] los secretos del arte se aprenden mejor en privado y la belleza, como la sabiduría, ama al idólatra solitario", escribió en el relato "El joven rey" (incluido en la presente edición).

Sin embargo, una lectura más fina y atenta, que podemos deducir de esta antología de cuentos, nos permite apreciar una mirada diferente de Wilde en relación con el esteticismo y el individualismo: su sensibilidad y refinamiento intelectual construyó de modo más oculto, o quizá con menos glamour en su máscara de postura pública de escritor, un acercamiento a lo social, a la condición del ser humano como engranaje de un sistema perversamente injusto, desde el campo de la ficción, en los signos de creatividad de su escritura, en los intersticios de una especie de "anarquismo" filosófico y literario, de dandi comprometido con reglas o posicionamientos estrictamente personales, no determinados por ideologías políticas impuestas, sin soslayar en este acto lo filantrópico. Lo expresa en el cuento "El gigante egoísta": "La injusticia ha repartido el mundo y no hay partes iguales de nada, salvo de dolor". Así, buscaba la auténtica esencia de las conductas, que se encuentra siempre detrás de las apariencias sociales, en los resquicios que deja la falsa nobleza y lealtad.

Wilde, es importante recordarlo, apoyaba al anarquismo filosófico, escuela de pensamiento que deslegitimaba toda posible representación moral del Estado, sin llegar al objetivo radical de la abolición como estructura política: "A veces la gente se pregunta bajo qué tipo de gobierno viviría mejor el artista, y sólo hay una respuesta: en ninguno", manifestó en el texto "El alma del hombre bajo el socialismo", editado en 1890 en *The Fortnightly Review.*

En 1891, el creador de "El gigante egoísta" editó un libro titulado *Intenciones*, que reúne los ensayos "La decadencia de la mentira", "Pluma, lápiz y veneno", "El crítico como artista" y "La verdad de las máscaras". También le dedicó un ensayo a los sonetos de Shakespeare, por el amor que sentía hacia el actor Willie Hughes, "Retrato de W.H", publicado por primera vez en *Blackwood's Magazine.*

Un año antes, en 1890, dio a conocer a sus lectores, originalmente en Lipincott's Magazine, su única y quizá más reconocida novela, *El retrato de Dorian Gray*; obra que fue llevada al cine en 2009, con la dirección de Oliver Parker y la actuación de Ben Barnes.

1895 fue el año que marcó en la vida de Wilde el auge y el principio del fin de su vida como artista: el 14 de febrero se estrena en Londres la obra de teatro más importante en toda la trayectoria del dramaturgo irlandés, *La importancia de llamarse Ernesto.*

Y en 1895 se produce también el escándalo que lo conduciría a la ruina y luego a la muerte: el apasionado amor por Alfred "Bosie" Douglas. "Bosie", el hijo del poderoso marqués de Queensberry, incentivó a Wilde para que denuncie a su padre por calumnias y le inicie juicio cuando el marqués se enteró de la relación amorosa que ambos mantenían; finalmente el caso fue llevado ante la corte de Old Bailey; Wilde fue acusado de sodomía y condenado a realizar trabajos forzados en la cárcel de Reading entre 1895 y 1897.

De profundis, carta escrita durante su estadía en prisión, es la confesión más intensa y dramática de toda aquella terrible experiencia: "Los acuso -expresa en uno de los pasajes del texto- por no apreciar al hombre que arruinaron".

Cuando salió de la cárcel, el 19 de mayo de 1897, ya nada fue igual para él. Luego de la muerte de su esposa y acosado socialmente por su condición de homosexual, viajó y se radicó en París con el nombre falso de Sebastián Melmoth.

Oscar Wilde murió en París, en 1900, sumido en la más absoluta pobreza y olvido. Nueve años más tarde, sus restos se trasladaron al cementerio de Père Lachaise.

Delia Pasini, traductora al español de su obra e investigadora de las creaciones literarias y la personalidad del autor de *El retrato de Dorian Gray*, señaló en el prólogo a los *Cuentos Completos:* "La obra de Oscar Wilde trasciende su época y su circunstancia; recurre a un estilo ligero para ahondar, incisiva, en esas cuestiones humanas que a todos nos atañen: los sentimientos y la influencia de nuestros actos sobre los semejantes" (Losada, 2014).

Una sinfonía antológica de cuentos

La presente antología de relatos está diseñada como una sinfonía musical, el arte que para el dramaturgo y poeta irlandés más se acercaba a la deliciosa zona de las lágrimas y los recuerdos[1]. Recordemos el pasaje de "El gigante egoísta": "Una mañana, el Gigante estaba despierto en la cama cuando oyó una música deliciosa. Sonó con tanta dulzura en sus oídos que pensó habrían de ser los músicos del Rey que pasaban por allí."

Si en el arte la mentira funciona como relato bello de las cosas falsas, según la concepción del autor, la belleza de la ficción se expande en el refinado universo de Wilde representándose en ruiseñores, gigantes, animales humanizados, mitologías, personi-

1 El material que completa la producción cuentística de Wilde, no incluida en este libro, comprende los relatos: "El príncipe feliz", "El admirable cohete", "El millonario modelo", "El cumpleaños de la infanta", "El pescador y su alma", "Old Bishop's", "La piel de naranja", "El hombre que contaba historias", "El imán" y "La santa cortesana" (de este último texto, las versiones publicadas por Alianza Editorial pertenecen al primer borrador de la versión original).

ficaciones de la muerte y el amor, reyes, lores, duques, príncipes: la dimensión del artista y el proceso creador, con la utilización de la parábola como instancia narrativa de superación de la vulgaridad (vulgar ante los ojos de Wilde) del realismo en la literatura.

La búsqueda estética de la narración que anhela dejar en el lector una enseñanza moral, aunque esa moralidad no sea percibida directamente por los personajes, quienes le atribuyen, junto al narrador, atributos de peligrosidad, como sucede en el relato "El amigo fiel".

La belleza de la ficción también se expande y sensibiliza en el universo de Wilde en el plano de la descripción de paisajes y personajes, y en la aplicación de la figura retórica denominada como polisíndeton: la repetición de conjunciones funciona como cristalización del movimiento, del fluir o impulso de vitalidad que resultaba inherente a la condición y concepción de mundo del dandi irlandés.

La antología de cuentos de Oscar Wilde está dividida en tres partes:

*Primer movimiento, El amigo fiel del príncipe feliz.

*Interludio, Breves prosas poéticas.

*Y Segundo movimiento, De crímenes y fantasmas.

Primer movimiento. La selección de estas piezas literarias abarca algunos textos de su primer libro de cuentos, *El príncipe feliz y otros cuentos*, de 1888. En esta primera etapa, los sacrificios por amor dan como resultado el amor por la lógica, la filosofía y la metafísica, como sucede en "El ruiseñor y la rosa". O el juego en clave irónica que innova con la estructura narrativa (la historia dentro de la historia) en "El amigo fiel".

Interludio. Funciona como instancia de representación, punto de intersección de los libros de cuentos, que conjuga el manejo que tenía el autor acerca de la brevedad e intensidad poética de las narraciones; transición que se traduce en la intencionalidad de la gradualidad semántica relacionada con el orden de los títulos: de discípulo a artista.

O el artista que integra y condensa al maestro de sabiduría y la figura del discípulo.

Los poemas en prosa (a los que deben sumarse "El hacedor del bien" y "La Casa del Juicio", que no están incluidos en esta antología) fueron reunidos en *The Fortnightly Review* durante 1894.

El interludio profundiza en la mitología de Narciso, indaga en la imagen de Dios (Wilde se convirtió al catolicismo en los momentos finales de su vida),"Pues siempre hablaba de Dios con la plenitud de su perfecta noción de Dios, ésa que el mismo Dios le había otorgado", pasaje casi bíblico que corresponde a "El maestro de sabiduría", y reflexiona acerca del instante de placer que produce la esencia del arte, en "El artista".

Segundo movimiento. Integran esta última parte el material editado en 1891 en las dos colecciones de cuentos que reunió en los volúmenes El crimen de Lord Arthur Savile Una casa de granados. Wilde, con la influencia de los Evangelios y las sagas nórdicas, recuperó la concepción del relato oral y construyó estética y estilísticamente la dimensión de lo onírico, como en el relato "El joven rey", hasta concientizar al lector, desde el plano de la ficción, que sólo la libertad del esclavo conduce a una injusticia más grande, a pesar de haber alcanzado la redención del poder y de la belleza: la bondad de un rey converso se traduce en la maldad del rey sucesor, que gobierna despóticamente; formas del poder y de la belleza expresadas líricamente en "Niño-Estrella".

El insondable universo femenino, la línea quiromántica que conduce al crimen para redimensionar los sentimientos más humanos de lord Arthur en "El crimen de Lord Arthur Savile",y el pacto de amor fantasmal, son las tramas que enhebradas cierran el presente recorrido antológico.

Con el título original de "Lady Alroy", "La esfinge sin secretos" apareció luego del nombramiento de Wilde como editor de la revista *Woman's Worlden* 1887 (en el período que va de 1887 a 1889 Wilde también fue corrector literario de la *Pall Mall Gazette*).

Inteligentemente provocador, no es casual que el creador de relatos emblemáticos como "El príncipe feliz", dedicado, junto al volumen de cuentos de título homónimo, a sus hijos Cyril y Vivian, escribiera en el cuento una frase como: "[...] las mujeres fueron hechas para ser amadas, no para ser comprendidas."

Quizá sea "El fantasma de Canterville" (publicado por primera vez en 1887 en *The Court and Society Review*) donde todo el mundo Wilde confluye dentro de esa preciosa tensión armónica que representó la arquitectura de su prosa, cuando en el momento de epifanía que atraviesa a Virginia, el fantasma le enseña qué es la vida, el significado de la muerte, la fuerza del amor (por Cecil, en este caso), que constituye y trasciende tanto a la vida como a la muerte.

Pero la revelación del personaje queda reservada, oculta. ¿Cuál es el verdadero secreto que guardan como pacto Virginia y el fantasma de Canterville? Sólo en la conjetura personal del lector niño/adulto puede encontrarse la respuesta.

Los sacrificios que el ruiseñor debe realizar en "El ruiseñor y la rosa", relato que abre el presente trabajo, se recompensan en "El fantasma de Canterville", cuento que cierra la edición: el ruiseñor canta ante la luna de frío cristal, cubre con su manto de protección a los que duermen en Canterville Chase. Y da circularidad a esta antología. Ruiseñores "custodian" y circundan el conjunto de los relatos seleccionados, en el principio y en el final.

En una carta al escritor francés André Guide, el apóstol del esteticismo, como a él le gustaba autodefinirse, escribió: "He puesto todo mi genio en mi vida, y en mis obras sólo mi talento". Vida y obra. Genio y talento. O simplemente, el gran dandi "anarquista" de la corte victoriana, Oscar Wilde.

El ruiseñor y la rosa

—Dijo que bailaría conmigo si le llevaba una rosa roja —se lamentaba el joven estudiante—, pero no hay una sola rosa roja en todo mi jardín.

Desde su nido en la encina, el ruiseñor lo oyó y miró por entre las hojas asombrado.

—¡No hay ni una rosa roja en todo mi jardín! —gritaba el estudiante.

Y sus bellos ojos se llenaron de lágrimas.

—¡Ah, de qué cosa más insignificante depende la felicidad! He leído cuanto han escrito los sabios; poseo todos los secretos de la filosofía y encuentro mi vida destrozada por carecer de una rosa roja.

—He aquí, por fin, el verdadero enamorado —dijo el ruiseñor—. Le he cantado todas las noches, aun sin conocerlo; todas las noches les cuento su historia a las estrellas, y ahora lo veo. Su cabellera es oscura como la flor del Jacinto y sus labios rojos como la rosa de su deseo; pero la pasión lo ha puesto pálido como el marfil, y la tristeza ha sellado su frente.

—El príncipe da un baile mañana por la noche —murmuraba el joven estudiante—, y mi amada asistirá a la fiesta. Si le llevo una rosa roja, bailará conmigo hasta el amanecer. Si le llevo una rosa roja, la tendré en mis brazos, reclinará su cabeza sobre mi hombro y su mano estrechará la mía. Pero no hay rosas rojas en mi jardín. Por lo tanto, tendré que estar solo y no me hará ningún caso. No se fijará en mí para nada y se destrozará mi corazón.

—He aquí el verdadero enamorado —dijo el ruiseñor—. Sufre todo lo que yo canto: todo lo que es alegría para mí es pena para él. Realmente el amor es algo maravilloso: es más bello que las esmeraldas y más raro que los finos ópalos. Perlas y rubíes no pueden pagarlo porque no se halla expuesto en el mercado. No puede uno comprarlo al vendedor ni ponerlo en una balanza para adquirirlo a peso de oro.

—Los músicos estarán en su estrado —decía el joven estudiante—. Tocarán sus instrumentos de cuerda y mi adorada bailará a los sones del arpa y del violín. Bailará con tanta levedad que sus pies no tocarán el suelo, y los cortesanos con sus alegres atavíos la rodearán solícitos; pero conmigo no bailará, porque no tengo rosas rojas que darle.

Y dejándose caer en el césped, se cubrió la cara con las manos y lloró.

—¿Por qué llora? —preguntó la lagartija verde, correteando cerca de él, con la cola levantada.

—Sí, ¿por qué? —decía una mariposa que revoloteaba persiguiendo un rayo de sol.

—Eso digo yo, ¿por qué? —murmuró una margarita a su vecina, con una vocecilla tenue.

—Llora por una rosa roja—dijo el ruiseñor.

—¿Por una rosa roja? ¡Qué tontería!

Y la lagartija, que era algo cínica, se rió a las carcajadas.

Pero el ruiseñor, que comprendía el secreto de la pena del estudiante, permaneció silencioso en la encina, reflexionando sobre el misterio del amor.

Súbitamente desplegó sus alas oscuras y emprendió el vuelo.

Pasó por el bosque como una sombra y como una sombra atravesó el jardín.

En el centro del prado se levantaba un hermoso rosal, y al verle, voló hacia él y se posó sobre una ramita.

—Dame una rosa roja —le gritó —, y te cantaré mis canciones más dulces.

Pero el rosal meneó la cabeza.

—Mis rosas son blancas —contestó—, blancas como la espuma del mar, más blancas que la nieve de la montaña. Ve en busca de mi hermano que crece alrededor del viejo reloj de sol y quizá él te dé lo que quieres.

Entonces el ruiseñor voló al rosal que crecía entorno del viejo reloj de sol.

—Dame una rosa roja —le gritó —, y te cantaré mis canciones más dulces.

Pero el rosal meneó la cabeza.

Mis rosas son amarillas —respondió—, tan amarillas como los cabellos de las sirenas que se sientan sobre un tronco de árbol, más amarillas que el narciso que florece en los prados antes de que llegue el segador con la guadaña. Ve en busca de mi hermano, el que crece debajo de la ventana del estudiante, y quizá él te dé lo que quieres.

Entonces el ruiseñor voló al rosal que crecía debajo de la ventana del estudiante.

—Dame una rosa roja —le gritó—, y te cantaré mis canciones más dulces.

Pero el arbusto meneó la cabeza.

—Mis rosas son rojas —respondió—, tan rojas como las patitas de las palomas, más rojas que los grandes abanicos de coral que el océano mece en sus abismos; pero el invierno ha helado mis venas, la escarcha ha marchitado mis botones, el huracán ha partido mis ramas, y no tendré más rosas este año.

—No necesito más que una rosa roja —gritó el ruiseñor—, una sola rosa roja. ¿No hay ningún medio para que yo la consiga?

—Hay un medio —respondió el rosal—, pero es tan terrible que no me atrevo a decírtelo.

—Dímelo —contestó el ruiseñor—. No soy miedoso.

—Si necesitas una rosa roja —dijo el rosal —, tienes que fabricarla con notas de música al claro de luna y teñirla con sangre de tu propio corazón. Cantarás para mí con el pecho apoyado en mis espinas. Cantarás para mí durante toda la noche y las espinas te atravesarán el corazón: la sangre de tu vida correrá por mis venas y se convertirá en sangre mía.

—La muerte es un precio muy alto por una rosa roja —replicó el ruiseñor—, y todo el mundo ama la vida. Es grato posarse en el bosque verdeante y mirar al sol en su carro de oro y a la luna en su carro de perlas. Suave es el aroma de los nobles espinos. Dulces son las campanillas que se esconden en el valle y los brezos que cubren la colina. Sin embargo, el amor es mejor que la vida. ¿Y qué es el corazón de un pájaro comparado con el de un hombre?

Entonces desplegó sus alas obscuras y emprendió el vuelo. Pasó por el jardín como una sombra y como una sombra cruzó el bosque.

El joven estudiante permanecía tendido sobre el césped, allí donde el ruiseñor lo dejó, y las lágrimas no se habían secado aún en sus bellos ojos.

—Sé feliz —le gritó el ruiseñor—, sé feliz; tendrás tu rosa roja. La crearé con notas de música al claro de luna y la teñiré con la sangre de mi propio corazón. Lo único que te pido es que seas un verdadero enamorado, porque el amor es más sabio que la filosofía, aunque ésta sea sabia; más fuerte que el poder, por fuerte que éste sea. Sus alas son color de fuego y su cuerpo color de llama; sus labios son dulces como la miel y su hálito es como el incienso.

El estudiante levantó los ojos del césped y prestó atención; pero no pudo comprender lo que le decía el ruiseñor, pues sólo sabía las cosas que están escritas en los libros.

Pero la encina lo comprendió y se puso triste, porque amaba mucho al ruiseñor que había construido su nido en sus ramas.

—Cántame la última canción —murmuró—. ¡Me quedaré tan triste cuando te vayas!

Entonces el ruiseñor, cantó para la encina, y su voz era como el agua que salía borboteando de un cántaro de plata.

Al terminar la canción, el estudiante se levantó, sacando al mismo tiempo su cuaderno de notas y su lápiz.

"El ruiseñor —se decía paseándose por la alameda—, el ruiseñor posee una belleza innegable, ¿pero siente? Me temo que no. Después de todo, es como muchos artistas: puro estilo, exento de sinceridad. No se sacrifica por los demás. No piensa más que en la música y en el arte; y como todo el mundo sabe, el arte es egoísta. Ciertamente, no puede negarse que su voz tiene notas bellísimas. ¡Qué lástima que todo eso no tenga sentido alguno, que no persiga ningún fin práctico!".

Y volviendo a su habitación, se acostó sobre su jergón y se puso a pensar en su adorada.

Al rato, se quedó dormido.

Y cuando la luna brillaba en los cielos, el ruiseñor voló al rosal y colocó su pecho contra las espinas.

Y toda la noche cantó con el pecho apoyado sobre las espinas, y la fría luna de cristal se detuvo y quedó escuchando toda la noche.

Cantó durante toda la noche, y las espinas penetraron cada vez más en su pecho, y la sangre de su vida fluía de su cuerpo.

Al principio cantó el nacimiento del amor en el corazón de un joven y de una muchacha, y sobre la rama más alta del rosal floreció una rosa maravillosa, pétalo tras pétalo, canción tras canción.

Primero era pálida como la bruma que flota sobre el río, pálida como los pies de la mañana y plateada como las alas de la aurora.

La rosa que florecía sobre la rama más alta del rosal parecía la sombra de una rosa en un espejo de plata, la sombra de la rosa en un lago.

Pero el rosal gritó al ruiseñor que se apretase más contra las espinas.

—Apriétate más, ruiseñorcito —le decía—, o llegará el día antes de que la rosa esté terminada.

Entonces el ruiseñor se apretó más contra las espinas y su canto fluyó más sonoro, porque cantaba el nacimiento de la pasión en el alma de un hombre y de una doncella.

Y un delicado rubor apareció sobre los pétalos de la rosa, lo mismo que enrojece la cara de un enamorado que besa los labios de su prometida.

Pero las espinas no habían llegado aún al corazón del ruiseñor; por eso el corazón de la rosa seguía blanco, porque sólo la sangre de un ruiseñor puede colorear el corazón de una rosa.

Y el rosal gritó al ruiseñor que se apretase más contra las espinas.

—Apriétate más, ruiseñor —le decía—, o llegará el día antes de que la rosa esté terminada.

Entonces el ruiseñor se apretó aún más contra las espinas, y las espinas tocaron su corazón y él sintió en su interior un cruel tormento de dolor.

Cuanto más implacable era su dolor, más impetuoso salía su canto, porque cantaba el amor sublimado por la muerte, el amor que no termina en la tumba.

Y la rosa maravillosa se volvió carmesí, como la rosa del cielo del oriente. Carmesí eran los pétalos de la corola, y carmesí como un rubí era el corazón.

Pero la voz del ruiseñor se debilitaba. Sus breves alas empezaron a batir y una nube se extendió sobre sus ojos.

Su canto se fue debilitando cada vez más. Sintió que algo se le ahogaba en la garganta.

Entonces su canto tuvo un último destello. La blanca luna le oyó, y olvidándose de la aurora, se detuvo en el cielo.

La rosa roja le oyó; tembló entera en éxtasis y abrió sus pétalos al aire frío del alba.

El eco le condujo hacia su caverna purpúrea de las colinas, despertando de sus sueños a los pastores dormidos.

El canto flotó entre los cañaverales del río, que llevaron su mensaje al mar.

—Mira, mira —gritó el rosal—, ya está terminada la rosa.

Pero el ruiseñor no respondió; yacía muerto sobre las altas hierbas, con el corazón traspasado de espinas.

A mediodía el estudiante abrió su ventana y miró hacia afuera.

—¡Qué extraña buena suerte! —exclamó—. ¡He aquí una

rosa roja! No he visto rosa semejante en toda vida. Es tan bella que estoy seguro de que debe tener en latín un nombre muy enrevesado.

E inclinándose, la agarró.

Inmediatamente se puso el sombrero y corrió a casa del profesor, llevando en su mano la rosa.

La hija del profesor estaba sentada a la puerta. Ovillaba seda azul en un carretel, con un perrito echado a sus pies.

—Dijiste que bailarías conmigo si te traía una rosa roja —le dijo el estudiante—. He aquí la rosa más roja del mundo. Esta noche la prenderás cerca de tu corazón, y cuando bailemos juntos, ella te dirá cuánto te quiero.

Pero la joven frunció las cejas.

—Temo que esta rosa no combine bien con mi vestido —respondió—. Además, el sobrino del chambelán me ha enviado varias joyas de verdad, y ya se sabe que las joyas cuestan más que las flores.

—¡Oh, qué ingrata eres! —dijo el estudiante lleno de cólera.

Y arrojó la rosa a la calle. La flor fue a parar a la cuneta y la rueda de un carro le pasó por encima.

—¡Ingrato! —dijo la joven—. Te diré que te portas como un grosero; y después de todo, ¿qué eres? Un simple estudiante. ¡Bah! No creo que puedas tener nunca hebillas de plata en los zapatos como las del sobrino del chambelán.

Y levantándose de su silla, se metió en su casa.

"¡Qué tontería es el amor! —se decía el estudiante a su regreso—. No es ni la mitad de útil que la lógica, porque no puede probar nada; habla siempre de cosas que no sucederán y hace creer a la gente cosas que no son ciertas. Realmente, no es nada práctico, y como en nuestra época todo consiste en ser práctico, voy a volver a la filosofía y al estudio de la metafísica".

Entonces el estudiante regresó a su habitación, abrió un gran libro polvoriento y se puso a leer.

El gigante egoísta

Cada tarde, a la salida de la escuela, los niños se iban a jugar al jardín del Gigante. Era un jardín amplio y hermoso, con arbustos de flores y cubierto de césped verde y suave. Por aquí y por allá, entre la hierba, se abrían flores luminosas como estrellas, y había doce albaricoqueros que durante la primavera se cubrían con delicadas flores color rosa y nácar, y al llegar el otoño se cargaban de ricos frutos aterciopelados. Los pájaros se demoraban en el ramaje de los árboles, y cantaban con tanta dulzura que los niños dejaban de jugar para escuchar sus trinos.

—¡Qué felices somos aquí! —se decían unos a otros.

Pero un día el Gigante regresó. Había ido de visita donde su amigo el Ogro de Cornualles, y se había quedado con él durante los últimos siete años. Durante ese tiempo ya se habían dicho todo lo que se tenían que decir, pues su conversación era limitada, y el Gigante sintió el deseo de volver a su mansión. Al llegar, lo primero que vio fue a los niños jugando en el jardín.

—¿Qué hacen aquí? —gritó con su voz retumbante.

Los niños escaparon corriendo.

—Este jardín es mío. Es mi jardín propio —dijo el Gigante—; todo el mundo debe entender eso y no dejaré que nadie se meta a jugar aquí.

Y, de inmediato, alzó una pared muy alta, y en la puerta puso un cartel que decía: LOS INTRUSOS SERÁN CASTIGADOS.

Era un Gigante egoísta.

Los pobres niños se quedaron sin tener dónde jugar. Intentaron jugar en el camino, pero éste estaba lleno de polvo, estaba plagado de pedruscos, y no les gustó. A menudo rondaban alrededor del muro que ocultaba el jardín del Gigante y hablaban del bello jardín que había detrás.

—¡Qué dichosos éramos allí! —se decían unos a otros.

Cuando la primavera volvió, toda la comarca se pobló de pájaros y flores. Sin embargo, en el jardín del Gigante Egoísta permanecía el invierno todavía. Como no había niños, los pájaros no cantaban y los árboles se olvidaron de florecer. Sólo una vez una lindísima flor se asomó entre la hierba, pero apenas vio el cartel, se sintió tan triste por los niños que volvió a meterse bajo tierra y volvió a quedarse dormida.

Los únicos que ahí se sentían a gusto eran la Nieve y la Escarcha.

—La primavera se olvidó de este jardín —se dijeron—, así que nos quedaremos aquí todo el resto del año.

La Nieve cubrió la tierra con su gran manto blanco y la Escarcha cubrió de plata los árboles. Y luego invitaron a su triste amigo, el Viento del Norte, para que pasara con ellos el resto de la temporada. Y llegó el Viento del Norte. Venía envuelto en pieles y anduvo rugiendo por el jardín durante todo el día, abriendo las plantas y derribando las chimeneas.

—¡Qué lugar más agradable! —dijo—. Tenemos que decirle al Granizo que venga a estar con nosotros también.

Y vino el Granizo también. Todos los días se pasaba tres horas tamborileando en los tejados de la mansión, hasta que rompió la mayor parte de las tejas. Después se ponía a dar vueltas alrededor, corriendo lo más rápido que podía. Se vestía de gris y su aliento era como el hielo.

—No entiendo por qué la primavera se demora tanto en llegar aquí —decía el Gigante Egoísta cuando se asomaba a la ventana y veía su jardín cubierto de gris y blanco—, espero que pronto cambie el tiempo.

Pero la primavera no llegó nunca, ni tampoco el verano. El otoño dio frutos dorados en todos los jardines, pero al jardín del Gigante no le dio ninguno.

—Es un gigante demasiado egoísta —decían los frutales.

De esta manera, el jardín del Gigante quedó para siempre sumido en el invierno, y el Viento del Norte y el Granizo y la Escarcha y la Nieve bailoteaban lúgubremente entre los árboles.

Una mañana, el Gigante estaba en la cama todavía cuando oyó que una música muy hermosa llegaba desde afuera. Sonaba tan dulce en sus oídos que pensó que tenía que ser el rey de los elfos que pasaba por allí. En realidad, era solo un jilguerito que estaba cantando frente a su ventana, pero hacía tanto tiempo que el Gigante no escuchaba cantar ni a un pájaro en su jardín, que le pareció escuchar la música más bella del mundo. Entonces el Granizo detuvo su danza, y el Viento del Norte dejó de rugir y un perfume delicioso penetró por entre las persianas abiertas.

—¡Qué bueno! Parece que al fin llegó la primavera —dijo el Gigante, y saltó de la cama para correr a la ventana.

¿Y qué es lo que vio?

Ante sus ojos había un espectáculo maravilloso. A través de una brecha del muro habían entrado los niños, y se habían trepado a los árboles. En cada árbol había un niño, y los árboles estaban tan felices de tenerlos nuevamente con ellos, que se habían cubierto de flores y balanceaban suavemente sus ramas sobre sus cabecitas infantiles. Los pájaros revoloteaban cantando alrededor de ellos, y los pequeños reían. Era realmente un espectáculo muy bello. Solo en un rincón el invierno reinaba. Era el rincón más apartado del jardín y en él se encontraba un niñito. Pero era tan pequeñín que no lograba alcanzar a las ramas del árbol, y el niño daba vueltas alrededor del viejo tronco llorando amargamente. El pobre árbol estaba todavía completamente cubierto de escarcha y nieve, y el Viento del Norte soplaba y rugía sobre él, sacudiéndole las ramas que parecían a punto de quebrarse.

—¡Sube a mí, niñito! —decía el árbol, inclinando sus ramas todo lo que podía. Pero el niño era demasiado pequeño.

Y, al ver esto, el Gigante sintió que el corazón se le derretía.

—¡Cuán egoísta he sido! —exclamó—. Ahora sé por qué la primavera no quería venir hasta aquí. Subiré a ese pobre niñito al árbol y después voy a tirar el muro. Desde hoy mi jardín será para siempre un lugar de juegos para los niños.

Estaba, en realidad, arrepentido por lo que había hecho.

Bajó entonces la escalera, abrió cautelosamente la puerta de la casa y entró en el jardín. Pero en cuanto lo vieron los niños se aterrorizaron, salieron a escape y el jardín quedó en invierno otra vez. Solo aquel pequeñín del rincón más alejado no escapó, porque tenía los ojos tan llenos de lágrimas que no vio venir al Gigante. Entonces el Gigante se le acercó por detrás, lo tomó gentilmente entre sus manos y lo subió al árbol. Y el árbol floreció de repente, y los pájaros vinieron a cantar en sus ramas, y el niño abrazó el cuello del Gigante y lo besó. Y los otros niños, cuando vieron que el Gigante ya no era malo, volvieron corriendo alegremente. Con ellos la primavera regresó al jardín.

—Desde ahora el jardín será para ustedes, hijos míos —dijo el Gigante, y tomando un hacha enorme, echó abajo el muro.

Al mediodía, cuando la gente se dirigía al mercado, todos pudieron ver al Gigante jugando con los niños en el jardín más hermoso que habían visto jamás.

Estuvieron allí jugando todo el día, y al llegar la noche los niños fueron a despedirse del Gigante.

—Pero, ¿dónde está el más pequeñito? —preguntó el Gigante—, ¿ese niño que subí al árbol del rincón?

El Gigante lo quería más que a los otros, porque el pequeño le había dado un beso.

—No lo sabemos —respondieron los niños—, se marchó solito.

—Díganle que vuelva mañana —dijo el Gigante.

Pero los niños contestaron que no sabían dónde vivía y que nunca lo habían visto antes. Y el Gigante se quedó muy triste.

Todas las tardes al salir de la escuela los niños iban a jugar con el Gigante. Pero al más chiquito, a ese que el Gigante más quería, no lo volvieron a ver nunca más. El Gigante era muy bueno con todos los niños pero echaba de menos a su primer amiguito y muy a menudo se acordaba de él.

—¡Cómo me gustaría volverlo a ver! —repetía.

Fueron pasando los años, y el Gigante se puso viejo y sus fuerzas se debilitaron. Ya no podía jugar; pero, sentado en un enorme sillón, miraba jugar a los niños y admiraba su jardín.

—Tengo muchas flores hermosas —se decía—, pero los niños son las flores más hermosas de todas.

Una mañana de invierno, miró por la ventana mientras se vestía. Ya no odiaba el invierno pues sabía que el invierno era simplemente la primavera dormida, y que las flores estaban descansando.

Sin embargo, de pronto se restregó los ojos, maravillado, y miró, y se quedó mirando.

Era realmente maravilloso lo que estaba viendo. En el rincón más lejano del jardín había un árbol cubierto por completo de flores blancas. Todas sus ramas eran doradas, y de ellas colgaban frutos de plata. Debajo del árbol estaba parado el pequeñito a quien tanto había echado de menos.

Lleno de alegría el Gigante bajó corriendo las escaleras y entró en el jardín. Pero cuando llegó junto al niño su rostro enrojeció de ira y dijo:

—¿Quién se ha atrevido a hacerte daño?

Porque en la palma de las manos del niño había huellas de clavos, y también había huellas de clavos en sus pies.

—¿Pero quién se atrevió a herirte? —gritó el Gigante—. Dímelo, para tomar la espada y matarlo.

—¡No! —respondió el niño—. Estas son las heridas del Amor.

—¿Quién eres tú, mi pequeño niñito? —preguntó el Gigante, y un extraño temor lo invadió, y cayó de rodillas ante el pequeño.

Entonces el niño sonrió al Gigante, y le dijo:

—Una vez tú me dejaste jugar en tu jardín; hoy jugarás conmigo en el jardín mío, que es el jardín del Paraíso.

Y cuando los niños llegaron esa tarde encontraron al Gigante muerto debajo del árbol, cubierto de flores blancas.

El amigo fiel

Una mañana, la vieja Rata de Agua sacó la cabeza fuera de su madriguera. Tenía los ojos claros, parecidos a dos gotas brillantes, unos bigotes grises muy tiesos y una cola larga, que parecía una larga cinta elástica negra. Los patitos nadaban en el estanque, como si fueran una bandada de canarios amarillos, y su madre, que tenía el plumaje blanquísimo y las patas realmente rojas, trataba de enseñarles a mantener la cabeza bajo el agua.

—Nunca van a pertenecer a la alta sociedad, si no pueden ponerse de cabeza bajo el agua —les repetía, mostrándoles de vez en cuando cómo se hacía.

Pero los patitos no prestaban atención; eran tan pequeños que no entendían las ventajas de pertenecer a la alta sociedad.

—¡Qué chiquillos más desobedientes! —gritó la vieja Rata de Agua—. Realmente merecen ser ahogados.

—¡Qué cosas dice usted! —respondió la Pata—. Nadie nace enseñado y a los padres no nos queda más remedio que tener paciencia.

—¡Ay! No sé nada de los sentimientos de los padres —dijo la Rata de Agua—. No soy madre de familia; en realidad nunca me he casado, ni tengo intención de hacerlo. El amor está bien, pero la amistad es un sentimiento mucho más elevado. La verdad es que no creo que haya nada en el mundo más noble ni más raro que una amistad verdadera. Fiel.

—Y dígame usted, por favor, ¿cuáles son, a su juicio, los deberes de un amigo fiel? —le preguntó un Pinzón Verde, que estaba posado encima de un sauce llorón muy cerca de allí, y que había oído la conversación.

—Sí, eso es justamente lo que yo quisiera saber —dijo la Pata mientras se alejaba nadando hasta la otra orilla del estanque y allí metía la cabeza en el agua, para dar buen ejemplo a sus pequeños.

—¡Qué pregunta más tonta! —exclamó la Rata de Agua—. Qué duda cabe de que, si un amigo mío es fiel, es porque me es fiel a mí.

—¿Y usted qué haría a cambio? —preguntó el pajarillo, que se columpiaba sobre una rama plateada batiendo sus diminutas alas.

—No te entiendo —le contestó la Rata de Agua.

—Deje que te cuente un cuento sobre eso —dijo el Pinzón.

—¿Es un cuento sobre mí? —preguntó la Rata de Agua— Porque, si lo es, estoy dispuesta a escucharlo. Me encantan los cuentos.

—Se le podría aplicar —contestó el Pinzón.

Y bajó volando del árbol y, posándose a la orilla del estanque, empezó a contar el cuento del amigo fiel.

—Érase una vez —comenzó a decir el Pinzón— un honrado muchacho que se llamaba Hans.

—¿Era muy distinguido? —preguntó la Rata de Agua.

—No —contestó el Pinzón—. No creo que lo fuera, excepto por su buen corazón y su cara redonda y simpática. Vivía solo, en una casa pequeñita y todo el día lo pasaba cuidando del jardín. No había jardín más bonito que el suyo en los alrededores: en él crecían minutisas y alhelíes, y pan y quesillo y campanillas blancas. Había rosas de Damasco y rosas amarillas y azafranes de oro y azul, y violetas moradas y blancas. La aguileña y la cardamina, la mejorana y la albahaca silvestre, la primavera y la flor de lis, el narciso y la clavellina brotaban y florecían unas tras otras, según pasaban los meses, de tal modo que siempre había cosas hermosas para la vista y exquisitos perfumes para el olfato.

El pequeño Hans tenía muchísimos amigos, pero el más fiel de todos era el grandote Hugo, el Molinero. Tan leal le era el ricachón Hugo al pequeño Hans, que no pasaba nunca por su jardín sin inclinarse por encima de la tapia para arrancar un ramillete de flores, o un puñado de hierbas aromáticas, o sin llenarse los bolsillos de ciruelas y cerezas, si estaban maduras.

—Los amigos verdaderos deberían compartir todas las cosas —solía decir el Molinero.

Y pequeño Hans asentía y sonreía, muy orgulloso de tener un amigo con tan nobles ideas.

Aunque la verdad es que, a veces, a los vecinos les extrañaba que el rico Molinero nunca diera al pequeño Hans nada a cambio, a pesar de que tenía cien bolsas de harina almacenadas en el molino y seis vacas lecheras y un gran rebaño de ovejas de lana. Pero a Hans nunca se le pasaban por la cabeza estos pensamientos y nada le daba tanta satisfacción como escuchar las maravillosas cosas que el Molinero solía decir sobre la falta de egoísmo y la verdadera amistad.

El pequeño Hans trabajaba en su jardín. Durante la primavera, el verano y el otoño era muy feliz; pero llegaba el invierno y se encontraba con que no tenía ni fruta, ni flores que llevar al mercado, y sufría mucho por el frío y por el hambre. En ocasiones tenía que irse a la cama sin más cena que unas cuantas peras secas o algunas nueces duras. Y además, en invierno, estaba muy solo, ya que el Molinero nunca iba a visitarlo.

—No es conveniente que vaya a ver al pequeño Hans mientras haya nieve —decía el Molinero a su mujer—. Porque, cuando la gente tiene problemas, es preferible dejarla sola y no molestarla con visitas. Por lo menos, ésta es la idea que yo tengo de la amistad, y estoy convencido de que es la correcta. Por lo tanto, esperaré a que llegue la primavera y después le haré una visita y podrá darme una cesta llena de prímulas, y con ello será feliz.

—Eres muy considerado con todo el mundo —le decía su

mujer, sentada en un cómodo sillón junto a un buen fuego de leña—, muy considerado. Da gusto oírte hablar de la amistad. Estoy segura de que ni un sacerdote diría las cosas tan bien como tú, y eso que vive en una casa de tres plantas y lleva un anillo de oro en el dedo meñique.

—¿Pero no podríamos invitar al pequeño Hans a que suba a vernos? —preguntó el hijo menor del Molinero—. Si el pobre está en apuros, le daré la mitad de mis gachas y le enseñaré mis conejitos blancos.

—¡Pero qué tonto eres! —exclamó el Molinero—. Realmente no sé para qué te mando a la escuela, pues la verdad es que no aprendes nada. Mira, si el pequeño Hans viniera a casa y viera el fuego tan hermoso que tenemos y nuestra buena cena y nuestro magnífico barril de vino tinto, le daría envidia. Y la envidia es una cosa tremenda, capaz de echar a perder a cualquiera. Y yo no permitiré que se eche a perder el carácter de Hans. Soy su mejor amigo y siempre velaré por él, y que no caiga en tentación. Además, si Hans viniera a casa, podría pedirme prestado un poco de harina, y eso sí que no lo puedo hacer. Una cosa es la harina y otra la amistad, y no hay que confundirlas. Está claro que son dos palabras diferentes y significan cosas distintas. Eso lo sabe cualquiera.

—¡Pero qué bien hablas! —dijo la mujer del Molinero, sirviéndose un gran vaso de cerveza tibia—. Estoy medio amodorrada, como si estuviera en la iglesia.

—Mucha gente obra bien —prosiguió el Molinero—, pero muy poca habla bien, lo que nos demuestra que es mucho más difícil hablar que obrar; aunque también es mucho más elegante.

Y se quedó mirando con severidad, por encima de la mesa, a su hijo pequeño, que se sintió tan avergonzado que bajó la cabeza, se puso muy colorado y se echó a llorar encima de la merienda. Pero era tan joven que había que disculparlo.

—¿Y así acaba el cuento? —preguntó la Rata de Agua.

—Claro que no —contestó el Pirizón—. Así es como empieza.

—Pues entonces no está usted al día —le dijo la Rata de

Agua—. Hoy los buenos narradores empiezan por el final, siguen por el principio y terminan por el medio. Así es el nuevo método. Se lo oí decir el otro día a un crítico, que iba paseando alrededor del estanque con un joven. Hablaba del asunto con todo detalle y estoy segura de que estaba en lo cierto, porque llevaba gafas azules, y era calvo, y, a cada observación que hacía el joven, le respondía: «¡Psss!». Pero le ruego que continúe usted con el cuento. Me encanta el Molinero. Yo también estoy lleno de hermosos sentimientos, de modo que tenemos muchas cosas en común.

—Pues bien —dijo el Pinzón, apoyándose ora en una patita ora en la otra—, tan pronto como acabó el invierno y las prímulas comenzaron a abrir sus pálidas estrellas amarillas, el Molinero le dijo a su mujer que iba a bajar a ver al pequeño Hans.

—¡Ay, qué buen corazón tienes! —le dijo su mujer—. ¡Siempre estás pensando en los demás! No te olvides de llevar la cesta grande para las flores.

Así que el Molinero sujetó las aspas del molino de viento con una gruesa cadena de hierro y bajó por la colina con la cesta en su brazo.

—Buenos días, pequeño Hans —dijo el Molinero.

—Buenos días —dijo Hans, apoyándose en la pala con una sonrisa de oreja a oreja.

—¿Y qué tal has pasado el invierno? —dijo el Molinero.

—Bueno, la verdad es que eres muy amable al preguntármelo, muy amable, sí, señor —exclamó Hans. Te diré que lo he pasado bastante mal, pero ya ha llegado la primavera y estoy muy contento, y todas mis flores están hechas una maravilla.

—Hemos hablado muchas veces de ti este invierno, Hans —dijo el Molinero—, y nos preguntábamos qué tal te iría.

—Qué amable de tu parte —dijo Hans— Y yo que me temía que me hubierais olvidado.

—Hans, me sorprendes —dijo el Molinero—. Los amigos nunca olvidan. Eso es lo más maravilloso de la amistad, pero me temo que no seas capaz de entender la poesía de la vida. Y, a propósito, ¡qué bonitas están tus prímulas!

—Realmente están preciosas —dijo Hans—; y es una suerte para mí tener tantas. Voy a llevarlas al mercado y se las venderé a la hija del alcalde, y con el dinero que me dé compraré otra vez mi carretilla.

—¿Que comprarás de nuevo tu carretilla? ¡No me irás a decir que la has vendido! ¡Qué cosa más tonta!

—La verdad es que no tuve más remedio que hacerlo, dijo Hans. Pasé un invierno muy malo, y no tenía dinero ni para comprar pan. Así que primero vendí la botonadura de plata de la chaqueta de los domingos, y luego vendí la cadena de plata y después la pipa grande, y por último la carretilla. Pero ahora voy a comprarlo todo otra vez.

—Hans —le dijo el Molinero—, voy a darte mi carretilla. No está en muy buen estado, porque le falta un lado y tiene rotos algunos radios de la rueda. Pero, a pesar de ello, voy a dártela. Ya sé que es una muestra de generosidad por mi parte y que muchísima gente pensará que soy tonto de remate por desprenderme de ella, pero es que yo no soy como los demás. Creo que la generosidad es la esencia de la amistad y, además, tengo una carretilla nueva. De modo que puedes estar tranquilo; te daré mi carretilla.

—Es muy generoso por tu parte —dijo el pequeño Hans, y su graciosa carita redonda resplandecía de alegría—. La puedo arreglar fácilmente, pues tengo un tablón en casa:

—¡Un tablón! —exclamó el Molinero— Pues eso es lo que necesito para arreglar el tejado del granero, que tiene un agujero muy grande y, si no lo tapo, el grano se va a mojar. ¡Es una suerte que me lo hayas dicho! Es sorprendente ver cómo una buena acción siempre genera otra. Yo te he dado mi carretilla y ahora tú me vas a dar una tabla. Por supuesto que la carretilla vale muchísimo más que la tabla, pero la auténtica amistad nunca se fija en cosas como ésas. Anda, haz el favor de traerla enseguida, que quiero ponerme a arreglar el granero hoy mismo.

—Voy corriendo —exclamó el pequeño Hans.

Y salió hacia el granero y volvió arrastrando la tabla.

—No es una tabla muy grande —dijo el Molinero mirándola—. Y me temo que, después de que haya arreglado el granero, no sobrará nada para que arregles la carretilla. Claro que eso no es culpa mía. Bueno, y ahora que te he regalado la carretilla, estoy seguro de que te gustaría darme a cambio algunas flores. Aquí tienes la cesta, y procura llenarla hasta arriba.

—¿Hasta arriba? —dijo el pobre Hans, muy afligido, porque era una cesta grandísima y sabía que, si la llenaba, no le quedarían flores para llevar al mercado; y estaba ansioso por recuperar su botonadura de plata.

—Bueno, en realidad –dijo el Molinero—, como te he dado la carretilla, no creo que sea mucho pedirte un puñado de flores. Puede que esté equivocado, pero, para mí, la amistad, la verdadera amistad, ha de estar libre de cualquier tipo de egoísmo.

—Ay, mi querido amigo, mi mejor amigo —exclamó el pequeño Hans, todas las flores de mi jardín están a tu disposición. Prefiero mucho más ser digno de tu estima que recuperar la botonadura de plata.

Y salió a recoger todas sus lindas prímulas y llenó la cesta del Molinero.

—Adiós, pequeño Hans —le dijo el Molinero, mientras subía por la colina, con el tablón al hombro y la gran cesta en la mano.

—Adiós —respondió el pequeño Hans.

Y se puso a cavar tan contento, pues estaba encantado con la carretilla.

Al día siguiente estaba sujetando unas ramas de madreselva en el porche cuando oyó la voz del Molinero, que le llamaba desde el camino. Así que saltó de la escalera, cruzó corriendo el jardín y miró por encima de la tapia.

Allí estaba el Molinero con una gran bolsa de harina al hombro.

—Querido Hans —le dijo el Molinero—, ¿te importaría llevarme esta bolsa de harina al mercado?

—Lo siento mucho —comentó Hans—, pero es que hoy estoy muy ocupado. Tengo que levantar todas las enredaderas, y regar las flores y atar la hierba.

—Bueno, pues, teniendo en cuenta que voy a regalarte mi

carretilla, es bastante egoísta por tu parte negarte a hacerme este favor.

—Oh, no digas eso —exclamó el pequeño Hans—. No querría ser egoísta por nada del mundo.

Y entró corriendo en casa a buscar su gorra y se fue caminando al pueblo con la gran bolsa a sus espaldas.

Hacía mucho calor, y la carretera estaba cubierta de polvo y, antes de llegar al sexto mojón, Hans tuvo que sentarse a descansar. Sin embargo prosiguió muy animoso su camino, y llegó al mercado. Después de un rato, vendió la bolsa de harina a muy buen precio y regresó a casa inmediatamente, temeroso de que, si se le hacía tarde, pudiera encontrar a algún ladrón en el camino.

—Ha sido un día muy duro —se dijo Hans mientras se metía en la cama—. Pero me alegro de no haber dicho que no al Molinero, porque es mi mejor amigo y, además, me va a dar su carretilla. A la mañana siguiente, muy temprano, el Molinero bajó a recoger el dinero de la bolsa de harina, pero el pobre Hans estaba tan cansado, que todavía seguía en la cama.

—Válgame, Dios —dijo el Molinero—, qué perezoso eres. La verdad es que, teniendo en cuenta que voy a darte mi carretilla, podrías trabajar con más ganas. La pereza es un pecado muy grave, y no me gusta que ninguno de mis amigos sea vago ni perezoso. No te parezca mal que te hable tan claro. Por supuesto que no se me ocurriría hacerlo si no fuera tu amigo. Pero eso es lo bueno de la amistad, que uno puede decir siempre lo que piensa. Cualquiera puede decir cosas amables e intentar alabar a los demás; pero un amigo verdadero siempre dice las cosas desagradables, y no le importa causar dolor. Es más, si es un verdadero amigo lo prefiere, porque sabe que está obrando bien.

—Lo siento mucho —dijo el pobre Hans frotándose los ojos, y quitándose el gorro de dormir—. Pero estaba tan cansado que quise quedarme un rato en la cama, escuchando el canto de los pájaros. ¿Sabes que trabajo mejor cuando he oído cantar a los pájaros?

—Bien, me alegro —dijo el Molinero, dándole una palmadita en la espalda—, porque, tan pronto estés vestido, quiero que subas conmigo al molino y me arregles el tejado del granero.

El pobrecito Hans estaba deseando ponerse a trabajar en el jardín, porque hacía dos días que no regaba las flores, pero no quería decir que no al Molinero, que era tan amigo suyo.

—¿Crees que no sería muy buen amigo tuyo si te dijera que tengo mucho que hacer? —preguntó con voz tímida y vergonzosa.

—Bueno, en realidad no creo que sea mucho pedirte, teniendo en cuenta que te voy a dar mi carretilla —le contestó el Molinero—. Pero, si no quieres, lo haré yo mismo.

—¡De ninguna manera! —exclamó Hans y, saltando de la cama, se vistió y subió al granero. Allí trabajó todo el día, y al anochecer fue el Molinero a ver cómo iba la obra.

—¿Has arreglado ya el agujero del tejado, Hans? —le preguntó el Molinero con voz alegre.

—Está completamente arreglado —contestó el pequeño Hans, mientras se bajaba de la escalera.

—¡Ay! No hay trabajo más agradable que el que se hace por los demás —dijo el Molinero.

—Realmente es un privilegio oírte hablar —respondió el pequeño Hans, sentándose y enjugándose el sudor de la frente—. Es un gran privilegio. Lo malo es que yo nunca tendré unas ideas tan bonitas como las tuyas.

—Ya verás cómo se te ocurren, si te empeñas —dijo el Molinero—. De momento, tienes sólo la práctica de la amistad; algún día tendrás también la teoría.

—¿De verdad crees que la tendré? —preguntó el pequeño Hans.

—No tengo la menor duda —contestó el Molinero—. Pero ahora que ya has arreglado el tejado, deberías ir a casa a descansar, quiero que mañana me lleves las ovejas al monte.

El pobre Hans no se atrevió a replicar, y a la mañana siguiente, muy temprano, el Molinero le llevó sus ovejas cerca de la casa, y Hans se fue al monte con ellas. Le llevó todo el día subir y bajar del monte y, cuando regresó a casa, estaba tan cansado, que se quedó dormido en una silla y no se despertó hasta bien entrado el día.

—¡Qué bien lo voy a pasar trabajando el jardín! —se dijo Hans; e inmediatamente se puso a trabajar.

Pero por un motivo u otro no había manera de dedicarse a las flores, pues siempre aparecía el Molinero a pedirle que fuera a hacerle algún recado, o que le ayudara en el molino. A veces el pobre Hans se ponía muy triste, pues temía que sus flores creyeran que se había olvidado de ellas; pero le consolaba el pensamiento de que el Molinero era su mejor amigo.

—Además —solía decir— va a darme su carretilla y eso es un acto de verdadera generosidad.

Así que el pequeño Hans seguía trabajando para el Molinero, y el Molinero seguía diciendo cosas hermosas sobre la amistad, que Hans anotaba en un cuadernito para poderlas leer por la noche, pues era un alumno muy aplicado.

Y sucedió que una noche estaba Hans sentado junto al hogar, cuando oyó un golpe seco en la puerta. Era una noche muy mala, y el viento soplaba y rugía alrededor de la casa con tanta fuerza, que al principio pensó que era sencillamente la tormenta. Pero enseguida se oyó un segundo golpe, y luego un tercero, más fuerte que los otros.

«Será algún pobre viajero», pensó Hans; y corrió a abrir la puerta.

Allí estaba el Molinero con un farol en una mano y un gran bastón en la otra.

—¡Querido Hans! —dijo el Molinero—. Tengo un grave problema. Mi hijo pequeño se ha caído de la escalera y está herido y voy en busca del médico. Pero vive tan lejos y está la noche tan mala, que se me acaba de ocurrir que sería mucho mejor que fueras tú en mi lugar. Ya sabes que voy a darte la carretilla, así que sería justo que a cambio hicieras algo por mí.

—Faltaría más —exclamó el pequeño Hans—. Considero un honor que acudas a mí. Ahora mismo me pongo en camino; pero préstame el farol, pues la noche está tan oscura que tengo miedo de que pueda caerme al canal.

—Lo siento mucho —le contestó el Molinero—, pero el farol es nuevo. Sería una gran pérdida, si le pasara algo.

—Bueno, no importa, ya me las arreglaré sin él —exclamó el pequeño Hans.

Descolgó su abrigo de piel, se puso su gorro de lana bien calentito, se enrolló una bufanda al cuello y salió en busca del médico.

¡Qué tormenta más espantosa! La noche era tan negra, que el pobre Hans casi no podía ver; y el viento era tan fuerte, que le costaba trabajo mantenerse en pie. Sin embargo era muy valiente, y después de haber caminado alrededor de tres horas llegó a casa del médico y llamó a la puerta.

—¿Quién es? —gritó el médico, asomando la cabeza por la ventana del dormitorio.

—Soy yo, el pequeño Hans.

—¿Y qué quieres, pequeño Hans?

—El hijo del Molinero se ha caído de una escalera, y está herido, y el Molinero dice que vaya usted enseguida.

—¡Está bien! —dijo el médico.

Pidió que le llevaran el caballo, las botas y el farol, bajó las escaleras y salió al trote hacia la casa del Molinero. Y el pequeño Hans le siguió con dificultad.

Pero la tormenta arreciaba cada vez más y la lluvia caía a torrentes y el pobre Hans no veía por dónde iba, ni era capaz de seguir la marcha del caballo. Al cabo de un rato se perdió y estuvo dando vueltas por el páramo, que era un lugar muy peligroso, lleno de hoyos muy profundos; y el pobrecito Hans cayó en uno de ellos y se ahogó. Unos pastores encontraron su cuerpo flotando en una charca y se lo llevaron a casa.

Todo el mundo fue al funeral del pequeño Hans, porque era una persona muy conocida; y allí estaba el Molinero, presidiendo el duelo.

—Como yo era su mejor amigo, es justo que ocupe el sitio de honor —dijo el Molinero.

Y se puso a la cabeza del cortejo fúnebre envuelto en una capa negra muy larga y, de vez en cuando, se limpiaba los ojos con un gran pañuelo.

—Ha sido una gran pérdida para todos nosotros —dijo el herrero, cuando hubo terminado el entierro y todos estaban cómodamente sentados en la taberna, bebiendo ponche y comiendo pasteles.

—Una gran pérdida, al menos para mí —dijo el Molinero—, porque resulta que le había hecho el favor de regalarle mi carretilla, y ahora no sé qué hacer con ella. En casa me estorba y está en tal mal estado, que no creo que me den nada por ella, si quiero venderla. Pero, de ahora en adelante, tendré mucho cuidado en no volver a regalar nada. Hace uno un favor y mira cómo te lo pagan.

—¿Y luego qué? —dijo la Rata de Agua, después de una larga pausa.

—Luego, nada. Éste es el final —dijo el Pinzón.

—Pero, ¿qué fue del Molinero? —preguntó la Rata de Agua.

—Realmente no lo sé, ni me importa, de eso estoy seguro —contestó el Pinzón.

—Entonces, es evidente que no tiene usted sentimientos —dijo la Rata de Agua.

—Me temo que no ha comprendido usted la moraleja del cuento —observó el Pinzón.

—¿La qué? —gritó la Rata de Agua.

—La moraleja.

—¡Quiere decir que ese cuento tenía moraleja!

—Pues sí —dijo el Pinzón.

—¡Bueno! —dijo la Rata de Agua muy enfadada—. Pues debería habérmelo dicho antes de empezar. Y así me habría ahorrado escucharle. Y hasta le hubiera dicho igual que el crítico: «¡Bah!» Aunque aún estoy a tiempo de decírselo.

Y entonces le gritó muy fuerte: —¡Bah!, —hizo un movimiento brusco con la cola y se metió en su agujero.

—¿Qué le parece a usted la Rata de Agua? —preguntó la Pata, que llegó chapoteando unos minutos después—. Tiene muy buenas cualidades, pero yo, la verdad, es que tengo sentimientos maternales y no puedo ver a un solterón sin que se me salten las lágrimas.

—Siento mucho haberlo molestado —contestó el Pinzón—. El hecho es que le conté un cuento con moraleja.

—Ah, pues eso es siempre muy peligroso —dijo la Pata.

Y yo estoy de acuerdo con ella.

El discípulo

Cuando Narciso murió, el río de sus delicias se transformó de una copa de agua dulce en una copa de lágrimas saladas, y las Oréades vinieron llorando por los bosques a cantar junto al río y a consolarle.

Y cuando vieron que el río habíase convertido de copa de agua dulce en copa de lágrimas saladas soltaron los bucles verdes en sus cabelleras y gritaron al río y le dijeron:

—No nos extraña que le llores así. ¿Cómo no ibas a amar a Narciso con lo bello que era?

—¿Pero Narciso era bello?—preguntó el río.

—¿Quién mejor que tú puede saberlo? —respondieron las Oréades—. Nos despreciaba a nosotras, pero te cortejaba a ti, e inclinado sobre tus orillas, dejaba reposar sus ojos sobre ti, y contemplaba su belleza en el espejo de tus aguas.

Y el río contestó:

—Si amaba yo a Narciso era porque, cuando inclinado en mis orillas dejaba reposar sus ojos sobre mí, en el espejo de sus ojos veía reflejada yo mi propia belleza.

El maestro

Y cuando las tinieblas cayeron sobre la tierra, José de Arimatea, después de haber encendido una antorcha de madera resinosa, descendió desde la colina al valle, porque tenía asuntos que hacer en su casa.

Y arrodillándose sobre las piedras del Valle de la Desolación, vio a un joven desnudo que lloraba.

Sus cabellos eran de color de miel y su cuerpo como una flor blanca; pero las espinas habían desgarrado su cuerpo, y a modo de corona, llevaba cenizas sobre sus cabellos.

Y José, que tenía grandes riquezas, dijo al joven desnudo y que lloraba:

—Comprendo que sea grande tu dolor porque verdaderamente Él era un justo.

Pero el joven le respondió:

—No lloro por Él, sino por mí mismo. Yo también he convertido el agua en vino y he curado al leproso y he devuelto la vista al ciego. Me he paseado sobre la superficie de las aguas y he arrojado a los demonios que habitan en los sepulcros. He dado de comer a los hambrientos en el desierto, allí donde no había ningún alimento, y he hecho levantarse a los muertos de sus lechos angostos, y por mandato mío y delante de una gran multitud, una higuera seca ha florecido de nuevo. Todo cuanto Él hizo, lo he hecho yo. Y sin embargo, no me han crucificado.

El maestro de sabiduría

Desde su infancia le habían inculcado, como a cualquiera, el perfecto conocimiento de Dios, y hasta cuando era niño, muchos santos así como ciertas santas mujeres que vivían en la libre ciudad, donde él nació, se habían quedado atónitos ante sus respuestas sabias.

Y cuando sus padres le entregaron el traje y el anillo de la edad viril, los abrazó, abandonándolos para ir a recorrer el mundo, porque quería hablar de Dios al universo. Pues había por aquel tiempo en el mundo muchas personas que no conocían a Dios en absoluto, que sólo tenían de él un conocimiento incompleto, o que adoraban los falsos dioses que habitan en los bosques sagrados sin preocuparse de sus adoradores.

Y poniéndose de cara al sol comenzó a viajar, caminando sin sandalias como había visto andar a los santos y llevando en su cintura un monedero de cuero y una pequeña vasija de barro cocido.

Y mentras caminaba a lo largo del ancho camino se sentía lleno de ese gozo que nace del conocimiento perfecto de Dios, y le cantaba alabanzas sin cesar en sus cantos. Y después de algún tiempo, entró en un país desconocido donde había muchas ciudades.

Atravesó once ciudades. Y algunas de éstas se hallaban en los valles, otras en las riberas de grandes ríos y otras asentadas sobre colinas. Y en cada ciudad encontró un discípulo que lo amó y lo siguió, y una gran multitud en cada ciudad le siguió, y el conocimiento de Dios se esparció sobre toda la tierra y muchos jefes de Estado se convirtieron. Y los sacerdotes de los templos en que había ídolos vieron que la mitad de sus ganancias se perdían y que cuando al mediodía golpeaban sus tambores nadie, o muy poca gente, acudía con panes y ofrendas de carne, como era costumbre en el país antes de llegar el peregrino.

Sin embargo, cuanto más aumentaba la multitud que le seguía, cuanto mayor era el número de sus discípulos, más grande era su aflicción. Y él no sabía por qué su aflicción era tan grande, pues hablaba siempre de Dios según la plenitud de conocimiento perfecto de Dios, que Dios mismo le había dado.

Y una noche salió de la undécima ciudad, que era una ciudad de Armenia, y sus discípulos y una gran multitud le siguieron, y subió a una montaña y se sentó sobre una roca que había en ella. Y sus discípulos se agruparon a su alrededor y la multitud se arrodilló en el valle.

Y él hundió la cabeza en sus manos y lloró y dijo a su alma:

—¿Por qué estoy tan lleno de aflicción y de temor y por qué cada uno de mis discípulos es como un enemigo que se adelanta a plena luz?

Su alma le respondió y dijo:

—Dios te ha llenado del conocimiento perfecto de Él mismo y tú has dado esa ciencia a los demás. Has dividido la perla de gran valor y has repartido en trozos el vestido sin costura. El que difunde la sabiduría se roba a sí mismo. Es lo mismo que quien da un tesoro a un ladrón ¿Acaso Dios no es más sabio que tú? ¿Quién eres tú para revelar el secreto que Dios te ha confiado? Yo era rica un día y tú me has empobrecido. Yo he visto a Dios un día y ahora tú me lo has ocultado.

Y de nuevo lloró él porque sabía que su alma le decía la verdad y que había dado a los demás el conocimiento perfecto de Dios, y que se encontraba como un hombre que se ha colgado de los pliegues de la vestidura de Dios, y que su fe disminuiría en relación al número de los que creían en él.

Se dijo a sí mismo:

—No volveré a hablar de Dios. El que difunde la sabiduría se roba a sí mismo.

Y algunas horas más tarde, sus discípulos fueron a su encuentro, e inclinándose hasta el suelo, le dijeron:

—Maestro, háblanos de Dios, porque tienes el conocimiento perfecto de Él y ningún hombre más que tú lo posee.

Y él contestó:

—Os hablaré de todas las demás cosas que hay en el cielo y en la tierra, pero no os hablaré de Dios. Ni ahora ni nunca os volveré a hablar de Dios.

Ellos se irritaron y le dijeron:

—Nos has conducido al desierto para que pudiéramos escucharte. ¿Quieres despedirnos hambrientos a nosotros y a la gran multitud que has invitado a seguirte?

Y él respondió:

—No os hablaré de Dios.

Y la multitud murmuró contra él y le dijo:

—Nos has conducido al desierto y no nos has dado alimento para comer. Háblanos de Dios y eso nos bastará.

Pero él no contestó una palabra, porque sabía que si hablaba de Dios les daría un tesoro.

Y los discípulos se marcharon tristemente y la multitud regresó a sus casas. Y muchos fallecieron en el camino.

Cuando estuvo solo se levantó y volviéndose hacia la luna viajó durante siete lunas sin hablar a ningún hombre y sin responder a ninguna pregunta. Y cuando la séptima luna iba a desaparecer, llegó al desierto del Gran Río.

Y encontrando vacía una caverna habitada en otro tiempo por un centauro, la tomó por abrigo y tejió una esterilla de junco para acostarse en ella y hacer vida de eremita. Y a cada hora, el eremita alababa a Dios, que había permitido que aprendiera a conocerle y a conocer su grandeza admirable.

Una noche, estando el eremita sentado ante la caverna en un sitio de reposo que se había arreglado, vio a un joven de rostro perverso y hermoso que pasaba sencillamente vestido y con las manos vacías. Todas las noches pasó de nuevo el joven con las manos vacías y todas las mañanas volvió con las manos llenas de púrpura y de perlas, pues era un ladrón y robaba a las caravanas de mercaderes.

Y el eremita le miró y tuvo piedad de él. Pero no le dijo una palabra porque sabía que quien dice una palabra pierde su fe.

Una mañana, cuando regresaba el joven con las manos llenas de púrpura y de perlas, se detuvo, frunció las cejas, dio con el pie sobre la mesa y dijo al eremita:

—¿Por qué me miras siempre de ese modo cuando paso? ¿Qué es lo que veo en tus ojos? Porque ningún hombre me ha mirado antes de ese modo. Y es para mí un aguijón y una tristeza.

El eremita le respondió:

—Lo que hay en mis ojos es piedad. Es la piedad la que te mira por mis ojos.

Y el joven rió con risa despreciativa y gritó al eremita con tono amargo:

—Tengo púrpura y perlas en mis manos y tú no tienes más que una esterilla de junco para acostarte. ¿Qué piedad vas a tenerme? ¿Y por qué?

—Tengo piedad de ti —dijo el eremita—, porque no conoces a Dios.

—¿Es una cosa preciosa el conocimiento de Dios? —preguntó el joven. Y se acercó a la entrada de la caverna.

—Es más preciosa que toda la púrpura y que todas las perlas del mundo —respondió el eremita.

—¿Y tú la posees? —Y se acercó más.

—En otro tiempo —respondió el eremita— poseía yo realmente el conocimiento perfecto de Dios, pero en mi locura lo he repartido y dividido entre muchos otros hombres. Aun ahora, semejante recuerdo sigue siendo para mí más precioso que la púrpura y que las perlas.

Y cuando el ladrón oyó esto, tiró la púrpura y las perlas que llevaba en sus manos, y sacando una espada puntiaguda de recurvado acero, dijo al eremita:

—Dame ahora mismo ese conocimiento de Dios que posees o te mato sin vacilar. ¿Cómo no iba yo a matar a quien posee un tesoro mayor que el mío?

Y el eremita extendió sus brazos y dijo:

—¿No me valdría más ir a los parajes más alejados de la Casa de Dios y loarle que vivir en el mundo y no conocerle? Mátame si ésa es tu voluntad. Pero no entregaré mi conocimiento de Dios.

Entonces el ladrón cayó de rodillas y le suplicó; pero el eremita no quiso ni hablarle de Dios ni darle su tesoro.

El ladrón se levantó y dijo al eremita:

—Sea como quieres. Por mi parte, voy a ir a la Ciudad de los Siete Pecados, que está solamente a tres días de marcha de aquí, y por mi púrpura me darán placer y por mis perlas me venderán alegría. Y recogiendo la púrpura y las perlas se fue rápidamente.

Y el eremita le llamó a grandes gritos. Le siguió y le imploró. Durante tres días siguió al ladrón por los caminos y le rogó que se volviera y que no entrase en la Ciudad de los Siete Pecados.

A cada paso, el ladrón miraba al eremita, y llamándole, le decía:

—¿Quieres darme ese conocimiento de Dios que es más precioso que la púrpura y las perlas? Si accedes a dármelo, no entraré en la ciudad.

Y el eremita le contestaba siempre:

—Te daré todo lo que tengo, a excepción de una sola cosa, porque ésa no me está permitido dártela.

Al caer la tarde del tercer día, se encontraron ambos ante las grandes puertas escarlatas de la Ciudad de los Siete Pecados. Y llegaron hasta ellos mil carcajadas que salían de la ciudad.

El ladrón respondió echándose a reír y llamó repetidamente a la puerta. Y cuando estaba llamando, el eremita llegó a él, y agarrándolo por los pliegues de sus vestidos, le dijo:

—Abre tus manos y coloca tus brazos en torno de mi cuello; acerca tu oído a mis labios y te daré el conocimiento de Dios que me queda.
Y el ladrón entonces se detuvo.

Cuando el eremita le hubo entregado su conocimiento de Dios, se desplomó sobre el suelo y lloró; y unas grandes tinieblas le ocultaron la ciudad y al ladrón de tal modo que ya no los volvió a ver.

Y estando allí inclinado y deshecho en lágrimas, notó que alguien estaba de pie a su lado; y aquel que estaba de pie a su lado tenía pies de bronce y cabellos como de lana fina. Y levantó al eremita y le dijo:

—Hasta aquí has tenido el conocimiento perfecto de Dios; desde ahora tendrás el perfecto amor de Dios. ¿Por qué lloras?

Y lo besó.

El artista

Un día nació en su alma el deseo de modelar la imagen de la estatua del Placer que dura un instante. Y marchó por el mundo para buscar el bronce, pues sólo podía ver sus obras en bronce.

Pero el bronce del mundo entero había desaparecido y en ninguna parte de la tierra podía encontrarse, como no fuese el bronce de la estatua del Dolor que se sufre toda la vida.

Y era él mismo con sus propias manos quien había modelado esa estatua, colocándola sobre la tumba del único ser que amó en su vida. Sobre la tumba del ser amado colocó la imagen de aquella estatua que era su creación, para que fuese muestra del amor del hombre que no muere nunca y como símbolo del dolor del hombre que se sufre toda la vida.

Y en el mundo entero no había más bronce que el de aquella estatua.

Entonces agarró la imagen de la estatua que había creado, la colocó en un gran horno y la entregó al fuego.

Y con el bronce de la imagen de la estatua del Dolor que se sufre toda la vida modeló la estatua del Placer que dura un instante.

El Niño-Estrella

Había una vez dos pobres leñadores que regresaban a su casa cruzando un gran pinar. Era invierno y hacía un frío terrible. La nieve caía espesa sobre la tierra y los árboles; el hielo acumulado rompía las ramas más pequeñas y débiles y, cuando los leñadores llegaron al Torrente de la Montaña, vieron que éste colgaba inánime en el aire porque había recibido el beso del Rey de Hielo. Tanto frío hacía, que aun los animales, hasta los mismos pájaros, no sabían qué hacer.

—¡Uf! —gruñó el lobo saltando entre los matorrales con su cola entre las patas—. ¡Hace un tiempo perfectamente horrible! ¿Por qué no trata de remediarlo el gobierno?

—¡Pii! ¡Pii! ¡Pii! —gorjeaban los verdes gorriones—; la anciana Tierra ha muerto, y le han puesto su mortaja blanca.

—La Tierra se va a casar, y este es su traje de bodas —murmuraban las tórtolas entre sí. Tenían sus piececitos de rosa heridos por el hielo; pero sentían que era un deber el considerar la situación de un modo romántico.

—¡Vamos! —gruñó el lobo—. Les digo que toda la culpa la tiene el gobierno, y a quien no me crea me lo comeré.

El lobo poseía un gran sentido práctico, y no le faltaban nunca argumentos sólidos.

—¡Bueno, lo que es por mí —dijo un pajarillo, que había

nacido filósofo— las explicaciones me importan... una teoría atómica! Si una cosa es así, pues es así, y ahora lo que pasa es que hace un frío horrible.

Verdaderamente, el frío era atroz. Las ardillas que vivían dentro del gran abeto no dejaban de frotarse las naricitas unas con otras, a fin de conservarlas calientes, y los conejos permanecían acurrucados en sus madrigueras, sin atreverse siquiera a asomarse. Los únicos seres que parecían contentos eran los búhos; sus plumas estaban atiesadas por la escarcha, pero eso los tenía sin cuidado; movían sus grandes ojos amarillos y no cesaban de llamarse unos a otros a través del bosque:

¡Tu-juit! ¡Tu-ju! ¡Tu-juit! ¡Tu-ju! ¡Qué tiempo más delicioso tenemos!

Los dos leñadores siguieron caminando, iban frotándose las manos violentamente, y sus enormes botas claveteadas dejaban marcado el camino sobre la nieve endurecida. Una vez se hundieron en un arroyo profundo y salieron de él blancos como los molineros cuando se mueve el molino, y otra vez, por donde las lagunas se habían helado, resbalaron sobre la dura planicie del hielo; se soltaron los nudos de sus gavillas de leña y tuvieron que recogerlas y atarlas de nuevo; y otra vez se creyeron perdidos, y un gran terror se apoderó de ellos, porque sabían cuán cruel es la nieve para quien se duerme en sus brazos. Pero confiaban en el buen San Martín, que vela por todos los viajeros, y, rehaciendo el camino, avanzaban prudentemente, y por fin llegaron al final del bosque y vieron a lo lejos, en el valle que se extendía por debajo de ellos, las luces de su aldea.

Tan locos de alegría estaban al verse salvados, que se pusieron a reír a carcajadas. La tierra les pareció una flor de plata y la luna, una flor de oro.

Pero después de tanto reír se quedaron tristes, pues recordaron su pobreza, y uno de ellos le dijo al otro:

—¿A qué alegrarnos, puesto que la vida es para los ricos y no para aquellos que están como nosotros? Más nos valía haber perecido de frío en el bosque o haber sido devorados por una fiera.

—Verdad es —contestó su compañero— que a algunos se les da mucho y a otros bien poco. La injusticia ha repartido el mundo y no hay partes iguales de nada, salvo de dolor.

Y he aquí, que mientras lamentaban su miseria, sucedió este hecho extraño. Cayó del cielo una estrella muy brillante y hermosa; se deslizó hacia abajo, pasando en su curso por entre las demás estrellas, y mientras los leñadores la contemplaban asombrados, les pareció que se hundía tras un grupo de sauces situado junto a un pequeño establo que se encontraba al alcance de una piedra.

—Bueno; habrá oro para quien lo encuentre —exclamaron los dos, y en su afán de hallar oro, echaron a correr hacia allí. Y uno de los dos corría más aprisa; se adelantó a su compañero; siguió su carrera a través de los sauces, salió al otro lado, y he aquí que había realmente un objeto de oro destacándose sobre la blancura de la nieve. Se apresuró a agarrarlo, se inclinó y vio que era un manto de tisú de oro adornado con estrellas y doblado con muchas vueltas. Gritó a su camarada, diciéndole que había encontrado el tesoro caído del cielo, y cuando el camarada llegó junto a él, se sentaron los dos en la nieve y empezaron a desdoblar el manto para repartirse las monedas de oro. Pero ¡ay!, no había oro en el manto, ni plata, ni tesoro de ninguna clase, sino solamente un niño pequeño que estaba dormido.

Y uno de los leñadores le dijo al otro:

—¡Qué mal acaba nuestra esperanza! ¡Qué poca suerte tenemos! ¿Qué puede sacar un hombre de un niño? Dejémosle aquí y sigamos nuestro camino, ya que somos pobres y tenemos a nuestros hijos, cuyo pan no podemos dar a otro.

Pero su compañero le respondió:

—No; sería una mala acción dejar aquí a este niño para que se muera de frío entre la nieve, y aunque soy tan pobre como tú y debo dar de comer a muchas bocas, teniendo poco en la cacerola, me llevaré este niño a mi casa y mi mujer cuidará de él.

Levantó al niño con ternura, lo envolvió en el manto para preservarlo del frío cortante y volvió a descender la colina, dirigiéndose hacia la aldea, mientras su compañero quedaba asombrado por tanta necedad y tanta blandura de corazón.

Y llegando a la aldea le dijo a su camarada:

—Ya que tú tienes el niño, dame a mí el manto; pues justo es que repartamos el hallazgo.

Pero él le contestó:

—No; porque el manto no es ni tuyo ni mío, sino del niño. ¡Buena suerte, pues!

Y se despidió, dirigiéndose a su casa.

Llamó. Al abrir la puerta y ver que su marido había regresado con felicidad, su mujer lo abrazó, lo besó, le quitó el haz de leña que llevaba en la espalda, le limpió la nieve de las botas y le dijo que entrase.

Pero él contestó:

—He encontrado algo en el bosque y te lo traigo para que cuides de ello —y no pasaba del marco de la puerta.

—¿Qué es? —preguntó ella—. Muéstramelo, que la casa está vacía y son muchas las cosas que nos hacen falta.

Él, entonces, descubrió el manto y mostró el niño dormido.

—¡Pero, hombre! —murmuró la mujer—, ¿no tenemos ya a nuestros hijos, que necesitas traer un intruso a sentarse en nuestro hogar? ¡Y acaso nos traiga mala suerte! ¿Y cómo voy a cuidarlo yo?

Y se puso furiosa contra su marido.

—No, que es un Niño-Estrella —contestó él, y le contó la extraña aventura.

Pero ella no se tranquilizaba; le hizo burla, se enfureció más, y exclamó por fin:

—¿Nuestros hijos carecen de pan y vamos a dar de comer al hijo de otros? ¿Quién atenderá entonces a los nuestros? ¿Quién les dará de comer?

—Dios cuida hasta de los gorriones y les da alimento —repuso él.

—¿Acaso no mueren también los gorriones de hambre durante el invierno? —contestó ella—. ¿Y no estamos ahora en invierno?

El hombre no dijo nada, pero no se movió del marco de la puerta. Un viento horrible aparecido del bosque hacía temblar la puerta abierta. La mujer tiritaba y le dijo al marido:

—¿Por qué no cierras la puerta? Entra en casa un viento horrible y tengo frío.

—En la casa donde hay un mal corazón, ¿no entra acaso siempre un viento horrible? —replicó él.

La mujer calló y se acercó a la luz.

Después de unos momentos, volvió y miró a su marido con los ojos arrasados de lágrimas. Él, entonces, entró rápidamente, le puso al niño en los brazos, y ella lo besó y lo acostó en una cuna, en la cual estaba durmiendo el más pequeño de sus hijos. Al día siguiente, el leñador levantó el extraño manto de oro y lo guardó en un arca; y su mujer agarró una cadena de ámbar que rodeaba el cuello del niño y la guardó también junto al manto.

Así fue como el Niño-Estrella creció con los hijos del leñador; se sentaba a su mesa y era su compañero de juego. Y cada año que transcurría se hacía más hermoso, y todos los habitantes de la aldea admiraban su belleza, pues mientras ellos eran cetrinos y pelinegros, él era blanco y delicado como el marfil, y los rizos de su cabellera se asemejaban a los anillos del narciso. Sus labios eran como los pétalos de una flor encarnada; sus ojos, como violetas en río de agua cristalina, y su cuerpo, como los narcisos de un campo virgen, virgen de campesinos.

Pero su hermosura le inspiraba el mal. Creció altivo, cruel y egoísta. Despreciaba a los hijos del leñador y a los demás niños de la aldea, diciéndoles que eran de origen humilde, mientras que él era de noble estirpe, porque había nacido de una estrella. Y se erigió en señor de todos ellos, y los llamaba sus criados; no sentía piedad por los desvalidos, ni por los ciegos o mutilados, ni por los afligidos, sino que, por el contrario, les tiraba piedras, los arrojaba a la carretera y les prohibía mendigar el pan, de modo que nadie, sino los que estaban fuera de la ley, llegaban dos veces hasta aquella aldea a pedir limosna. Estaba convencido hasta tal punto de su propia belleza, que se reía de los raquíticos y poco agraciados, burlándose de ellos.

El leñador y su mujer lo reprendían a menudo, diciéndole:

—Nosotros no te tratamos como tratas tú a los que se quedan solitarios, sin tener quién los ampare. ¿Por qué te muestras tan duro con todos cuantos necesitan compasión?

A menudo, también el anciano sacerdote lo mandaba llamar e intentaba inculcarle el amor a los seres vivientes, diciéndole:

—La mosca es hermana tuya; no le hagas daño. Los pájaros silvestres que vuelan por el bosque tienen su derecho a la vida; no te diviertas en ponerles trampas. Dios crió al gusano y al topo y cada uno tiene designado su puesto. ¿Quién eres tú para traer penas al mundo de Dios? Hasta el ganado del campo alaba al Señor.

Pero el Niño-Estrella no prestaba atención a estas palabras; ponía mal gesto, profería insultos y se iba a mandar a sus compañeros. Y estos lo seguían porque era hermoso y tenía los pies ligeros y sabía hacer música con la flauta. Y dondequiera que el Niño-Estrella los llevaba, ellos lo seguían, y cualquier cosa que el Niño-Estrella les mandaba, ellos la hacían. Y cuando él, con una caña afilada le saltaba al topo los ojos turbios, ellos se echaban a reír; y cuando tiraba piedras a un leproso, también se reían. En todo los gobernaba y les hizo volverse tan duros de corazón como él.

Un día pasó por la aldea una pobre mendiga. Tenía las ropas desgarradas y andrajosas, los pies le sangraban a causa del áspero camino recorrido, y toda su apariencia era miserable. Y como estaba muy cansada se sentó a descansar debajo de un castaño.

Al verla, el Niño-Estrella dijo a sus compañeros:

—Miren, bajo aquel hermoso árbol cubierto de hojas verdes está sentada una mendiga asquerosa. Vamos a echarla de aquí, porque es fea y desagradable.

Dicho esto se aproximó a la anciana, la apedreó y se burló de ella. La mujer lo miraba con terror y no le apartaba la vista de encima.

Cuando el leñador, que se hallaba partiendo leños en un monte cercano, vio lo que hacía el Niño-Estrella, corrió a reprenderlo, diciéndole:

—Verdaderamente tienes el corazón muy duro y no sabes lo que es tener misericordia. ¿Qué daño te ha hecho esa pobre mujer para que la trates de ese modo?

El Niño-Estrella se puso furioso, pateó la tierra y contestó:

—¿Quién eres tú para interrogarme acerca de lo que hago? No soy tu hijo y no te debo obediencia.

—Dices bien —repuso el leñador—; pero yo te enseñé la piedad cuando te hallé en el bosque.

Al oír estas palabras, la mendiga dio un gran grito y se desmayó. El leñador la llevó a su casa, donde su mujer la atendió, y cuando recobró el conocimiento colocaron ante ella comida y bebida para que se reconfortase.

Pero ella, en lugar de comer y beber, le dijo al leñador:

—¿No dijiste que el niño fue encontrado en el bosque? Y ¿no son diez años los transcurridos desde entonces?

—Sí —contestó el leñador—; en el bosque encontré yo al niño y van diez años de ello.

—Y ¿qué encontraste junto a él? —prosiguió la mendiga—. ¿No llevaba alrededor del cuello un collar de ámbar? ¿No iba envuelto en un manto de tisú de oro bordado con estrellas?

—Cierto —contestó el leñador—, era como tú dices —y sacó, del arca donde los guardaban, el collar de ámbar y el manto de oro, y se los mostró.

Al verlos, la mendiga se echó a llorar de alegría y exclamó:

—Es mi hijito, al que yo perdí en el bosque. Te suplico que mandes pronto por él, porque vengo recorriendo el mundo en su busca.

El leñador salió con su mujer a llamar al Niño-Estrella:

—Entra en casa —le dijeron—, que allí está tu madre esperándote.

Entró el niño, con gran frialdad y asombro; pero al ver quién lo esperaba, se echó a reír desdeñosamente, diciendo:

—¿Y dónde está mi madre? Porque aquí sólo veo a esta mendiga.

Ella le dijo entonces:

—Yo soy tu madre.

—Estás loca —exclamó él, colérico—. Yo no soy tu hijo, tú eres una mendiga fea y harapienta. Por lo tanto, vete de aquí y no vuelvas a mostrarme tu repugnante cara.

—No, que eres verdaderamente mi hijito, el que yo perdí en el bosque —exclamó ella. Y cayendo de rodillas, le tendió los brazos—. Te robaron unos ladrones y te dejaron para que te murieras —continuó diciendo—; pero te he reconocido enseguida y también reconozco el manto de tisú de oro y el collar de ámbar. Te suplico que vengas conmigo, pues he recorrido toda la tierra buscándote. Ven conmigo, hijo mío, ven, que necesito tu cariño.

Pero el Niño-Estrella permaneció inmóvil y cerró las puertas de su corazón. No se oía ningún ruido, salvo el del llanto de la mendiga que lloraba de pena.

Y, por fin, habló el niño, con voz dura y severa:

—Si realmente eres mi madre —dijo— mejor hubieras hecho en marcharte que no en venir a avergonzarme, ya que yo me creía hijo de una estrella y no de una mendiga como tú. Vete de aquí, y que no te vuelva a ver más.

—¡Ay!, hijo mío —repuso ella—. ¿No me besarás siquiera antes de que me vaya? Mira que mi dolor ha sido muy grande al encontrarte.

—No —contestó el Niño-Estrella—, que estás muy sucia. Besaría a una víbora o a un sapo antes que a ti.

La mendiga se levantó entonces y se fue al bosque, llorando amargamente. Al ver que se había ido, el Niño-Estrella se puso muy contento y volvió junto a sus compañeros para seguir jugando.

Pero al verle llegar, estos se volvieron contra él, diciéndole:

—Eres tan vil como el sapo y tan aborrecible como la víbora. Márchate de aquí, que no queremos que juegues con nosotros.

Y lo echaron fuera del jardín.

El Niño-Estrella se enfureció, murmurando:

—¿Qué es lo que me han dicho? Iré al pozo, me miraré detenidamente y el pozo me dirá cuán hermoso soy.

Así lo hizo, pero ¡ay!... Su cara era como la cara de un sapo y su cuerpo tenía escamas como el de una víbora. Entonces se echó a llorar sobre la hierba, diciendo:

—Seguramente me sucede esto en castigo de mi pecado. He negado a mi madre, la he echado de mi lado y me he mostrado altivo y cruel con ella. Por lo tanto, debo ir a buscarla por todo el mundo y no descansaré hasta haberla encontrado.

En ese instante se acercó la más pequeña de las hijas del leñador, y poniéndole la mano encima del hombro, le preguntó:

—¿Qué te ocurre que has perdido tu hermosura? Quédate con nosotros, que yo no me burlaré de ti.

Y él contestó:

—No, porque he sido cruel con mi madre y este mal me ha sido enviado en castigo; así es que debo irme de aquí y andar por todo el mundo hasta encontrar a mi madre y conseguir su perdón.

Así, marchó al bosque y llamó a su madre, pero en vano. Todo el día la estuvo llamando; cuando atardeció, se tendió en un lecho de hojas para dormir; los pájaros y todos los animalitos huían de él recordando su crueldad, y se quedó solo. Únicamente le hacían compañía el sapo, que parecía servirle de guardia, y la víbora, que pasaba arrastrándose lentamente.

A la mañana se levantó, agarró de los árboles algunas frutas amargas, se las comió, y llorando lastimosamente emprendió el camino a través del bosque inmenso. Y a todo el que encontraba le preguntaba si por casualidad había visto a su madre. Al topo le dijo:

—Tú que andas por debajo de tierra, dime: ¿está mi madre allí?

Y el topo le contestó:

—Me has dejado ciego, ¿cómo quieres que la vea?

Le dijo al jilguero:

—Tú, que puedes volar por encima de los árboles y puedes vislumbrarlo todo, dime: ¿no ves a mi madre?

Y el jilguero le contestó:

—Me has cortado las alas por divertirte, ¿cómo quieres que vuele?

Y a la pequeña ardilla, que vivía solitaria dentro del abeto, le dijo:

—¿Dónde está mi madre?

Y la ardilla le contestó:

—A mí me mataste, ¿quieres acaso matarla también?

Y el Niño-Estrella lloró y bajó la cabeza, y pidió a Dios que le perdonara todas sus culpas y siguió por el bosque buscando a su madre mendiga. Y al tercer día había atravesado todo el bosque y descendió hacia la llanura.

Cuando pasaba por las aldeas, los niños le hacían burla y lo apedreaban, y los campesinos no le permitían dormir en los establos, sino después de sacar fuera todo el estiércol; estaba tan sucio, que le echaban de todas partes y nadie se apiadaba de él. En ningún lugar pudo saber de la mendiga, que era su madre, a pesar de vagar por el mundo durante tres años. A menudo le parecía verla frente a él por algún camino, y la llamaba y corría tras ella hasta ensangrentarse los pies con los puntiagudos guijarros; pero no lograba alcanzarla y aquellos a quienes preguntaba por ella, contestaban que sí, que la habían visto, y si no, que habían visto otra parecida, y se reían de su pena.

Por espacio de tres años anduvo errando por el mundo y en el mundo no había para él ni amor, ni afecto, ni caridad; y es que aquel mundo era el que él mismo había planeado en los días de su altivez.

Una noche llegó a la puerta de una ciudad rodeada de fuertes murallas y situada junto a un río, y como estaba muy cansado y tenía los pies heridos, decidió entrar en ella. Pero los soldados que montaban la guardia no le permitieron la entrada cruzando sus lanzas y le preguntaron duramente qué buscaba en la ciudad.

—Voy en busca de mi madre —contestó él—, y les suplico me dejen pasar, pues quizás esté en esta ciudad.

Pero se burlaron de él, y uno de los soldados que tenía una gran barba negra apoyó su arma en el suelo y exclamó:

—En verdad que para tu madre no habrías de ser ninguna alegría, pues eres más feo que el sapo de la laguna y la víbora que se arrastra por el pantano: ¡lárgate de aquí!

Otro soldado que sostenía un banderín amarillo le preguntó:

—¿Quién es tu madre y por qué la andas buscando?

Y él contestó:

—Mi madre es una mendiga como yo, y la traté mal; te

ruego que me dejes pasar para que me perdone, si es que se ha detenido en esta ciudad.

Pero los soldados no hicieron caso de lo que decía, y lo pincharon con sus lanzas.

Cuando ya se alejaba, llorando, llegó uno cuya armadura tenía en incrustación flores doradas y cuyo yelmo ostentaba un león alado; llegó y preguntó a los soldados quién era aquel que había solicitado entrar.

—Es un mendigo, hijo de una pordiosera, y lo hemos echado de aquí —dijeron los soldados.

—No —exclamó riendo el recién llegado—, podemos venderlo como esclavo; lo daremos por una copa de vino dulce.

Un viejo de mal aspecto que pasaba por allí dijo entonces:

—Lo compro por ese precio.

Y después de pagar lo convenido, se llevó al Niño-Estrella de la mano y entró con él en la ciudad.

Después de recorrer muchas calles, llegaron ante una puertecita abierta en una pared, junto a la cual había un granado. El viejo golpeó la puerta con un anillo de jaspe tallado, la puerta se abrió y bajaron por cinco escalones de bronce a un jardín lleno de amapolas negras y jarrones verdes de barro cocido. El viejo sacó entonces de su turbante un pedazo de seda bordado, vendó con él los ojos del Niño-Estrella y lo hizo caminar hacia adelante. Cuando le quitó la venda, el Niño-Estrella se encontró en un calabozo alumbrado por un farol de cuerno.

El viejo colocó encima de una mesa un pedazo de pan añejo y le dijo:

—¡Come!

Le sirvió un poco de agua en una taza y le dijo:

—¡Bebe!

Y después de haberle visto comer y beber, se fue, cerrando la puerta tras sí y asegurándola con una cadena de hierro.

A la mañana siguiente, el viejo, que debía poseer tantas habilidades como los magos de Libia y que había aprendido su ciencia de uno de ellos, que habitaba en las tumbas del Nilo, entró, y, con malos modos, le dijo:

—En un bosque que está cerca de las puertas de esta ciudad de Giaours hay tres monedas de metal. Una es de metal blanco; otra, de metal amarillo, y la tercera es de metal rojizo. Hoy me vas a traer la pieza de metal blanco, y si vuelves sin ella te daré cien latigazos. Ve de prisa: al caer el sol, te esperaré a la puerta del jardín. Y no dejes de traer el metal blanco, o te irá mal conmigo: eres mi esclavo, pues te compré por una copa de vino dulce.

Le vendó los ojos con la venda de seda blanca, lo condujo a través de la casa y del jardín de amapolas; le hizo subir los cinco escalones de bronce, y, abriendo la puerta con su anillo, lo puso en la calle.

El Niño-Estrella salió de las puertas de la ciudad y llegó al bosque.

El bosque estaba hermosísimo; parecía lleno de pájaros cantarines y de flores deliciosamente perfumadas, así es que el Niño-Estrella penetró en él con gran alegría; pero aquel esplendor no le servía de nada, pues dondequiera que iba, zarzas y espinas brotaban a su paso y lo cercaban, ortigas dañinas lo pinchaban y hojas de cardo le agujereaban la piel; de modo que se encontró pronto en terrible aprieto, y tampoco pudo hallar por ningún lado la moneda de metal blanco, de la cual le había hablado el mago, a pesar de estar buscándola desde el amanecer hasta el mediodía y desde el mediodía hasta la puesta del sol. Entonces volvió a la casa llorando desconsoladamente, ya sabía lo que allí le esperaba.

Pero al llegar a la orilla del bosque oyó un grito, como de alguien que se quejase, que partía de un matorral; y olvidando sus propias penas, volvió sobre sus pasos y vio una liebre pequeñita cogida en una trampa puesta por algún cazador.

El Niño-Estrella tuvo piedad de la liebre y la liberó diciéndole:

—No soy más que un esclavo, pero puedo devolverte tu libertad.

La liebre le contestó entonces:

—Es verdad, tú me has liberado; ¿qué puedo yo darte a cambio?

—Estoy buscando una moneda de metal blanco —le dijo el Niño-Estrella—, no la encuentro por ninguna parte, y si no se la llevo a mi amo me dará latigazos.

—Ven conmigo —repuso la liebre—, que yo te llevaré adonde está, pues sé dónde fue escondida y con qué fin.

El Niño-Estrella se fue con la liebre, y he aquí que dentro de un gran roble vio la moneda de metal blanco tan buscada. Lleno de alegría la agarró y dijo a la liebre:

—El servicio que te presté, me lo has pagado con creces, y el cariño que te demostré me lo has devuelto centuplicado.

—No es nada —contestó la liebre—, solo te he tratado conforme tú me trataste.

Dicho esto, desapareció rápidamente, y el Niño-Estrella se dirigió hacia la ciudad.

En la puerta de esta se hallaba sentado un leproso. Sobre su cara pendía una capucha de tela gris, a través de cuyas aberturas brillaban sus ojos como carbones encendidos. Al ver llegar al Niño-Estrella, golpeó en su taza de madera, agitó su cascabel, y llamando al niño le dijo:

—Dame una moneda, pues si no me voy a morir de hambre; me han echado de la ciudad y no hay quién se apiade de mí.

—¡Ay! —exclamó el Niño-Estrella—, solo tengo una moneda dentro de mis alforjas y si no se la llevo a mi amo me apaleará, pues soy su esclavo.

Pero tanto rogó y suplicó el leproso, que el Niño-Estrella se compadeció y le dio la moneda de metal blanco.

Cuando llegó a casa del mago, este le abrió la puerta, y haciéndole entrar, le preguntó:

—¿Traes la moneda de metal blanco?

—No la traigo —contestó el Niño-Estrella.

Entonces el mago se lanzó sobre él y lo maltrató, y colocándolo ante una mesa vacía, le dijo:

—¡Come!

Y dándole una taza vacía, añadió:

—¡Bebe!

Y lo encerró de nuevo en el calabozo.

Al día siguiente llegó y le dijo:

—Si hoy no me traes la moneda de metal amarillo te guardaré siempre como esclavo y te daré trescientos latigazos.

El Niño-Estrella se fue al bosque y estuvo todo el día buscando la moneda de metal amarillo, pero no pudo dar con ella por ninguna parte. A la puesta del sol se sentó en el suelo y rompió a llorar. Pero mientras estaba llorando llegó la liebre a la que había liberado de la trampa.

—¿Por qué lloras? —le preguntó la liebre—. ¿Y qué haces en el bosque?

—Estoy buscando una moneda de metal amarillo que está aquí escondida —contestó el Niño-Estrella, y si no la encuentro, mi amo me pegará y me guardará como esclavo.

—¡Sígueme! —ordenó la liebre.

Y se fueron corriendo por el bosque hasta llegar a una laguna. En el fondo de la laguna estaba la moneda de metal amarillo.

—¿Cómo darte las gracias? —dijo el Niño-Estrella—, pues esta es ya la segunda vez que me salvas.

—Tú tuviste compasión de mí primero —dijo la liebre, y desapareció veloz.

El Niño-Estrella agarró entonces la moneda de metal amarillo, la metió en su bolsillo y se dirigió hacia la ciudad. Pero el leproso lo divisó de lejos, corrió a su encuentro y arrodillándose ante él, exclamó:

—Si no me das una moneda, me moriré de hambre.

—No tengo en mi bolsillo más que una moneda de metal amarillo —le dijo el Niño-Estrella—, y si no se la llevo a mi amo me apaleará y me guardará como esclavo.

Pero el leproso le suplicó tan lastimosamente, que el Niño-Estrella acabó por compadecerse y darle la moneda de metal amarillo. Y cuando llegó a la casa, el mago le abrió la puerta, le hizo entrar y le preguntó:

—¿Traes la moneda de metal amarillo? Y el Niño-Estrella le contestó:

—No la traigo.

Entonces el mago se lanzó sobre él, le pegó, lo cargó de cadenas y lo arrojó de nuevo al calabozo.

Al otro día llegó y le dijo:

—Si me traes hoy la moneda de metal rojizo, te dejaré libre; pero si no me la traes, te mataré indefectiblemente.

El Niño-Estrella se fue al bosque y durante todo el día buscó la moneda de metal rojizo sin poder hallarla por ninguna parte. A la puesta del sol se sentó y rompió a llorar, y mientras lloraba, llegó la liebre.

Y la liebre le dijo:

—La moneda que buscas se halla en la caverna que está detrás de ti. Por lo tanto, alégrate en vez de llorar.

—¿Cómo recompensarte? —exclamó el Niño-Estrella—, pues ya es la tercera vez que me salvas.

—Tú te compadeciste de mí primero —repuso la liebre, y desapareció rápidamente.

Y el Niño-Estrella entró en la caverna, y en el sitio más recóndito halló la moneda de metal rojizo, la metió en su bolsillo y volvió a la ciudad. Viéndole venir, el leproso se puso en medio del camino y dijo:

—¡Dame la moneda de metal rojizo o me muero!

El Niño-Estrella tuvo lástima de él y le entregó la moneda, diciéndole:

—Tu necesidad es mayor que la mía.

Pero su corazón quedó oprimido, pues sabía la suerte que le esperaba.

Al pasar por las puertas de la ciudad, los soldados de la guardia le saludaron con grandes reverencias, diciendo:

—¡Qué hermoso es nuestro señor!

Y una muchedumbre le seguía, exclamando:

—Seguramente no habrá nadie tan hermoso en el mundo.

El Niño-Estrella lloraba pensando: «Se están burlando de mí para hacerme sentir mi desgracia». Y tal era la muchedumbre, que el Niño-Estrella se extravió en su camino y fue a parar a una gran plaza en la que se elevaba el palacio de un rey. Se abrió la puerta del palacio y los sacerdotes y altos funcionarios de la ciudad salieron a su encuentro, diciéndole prosternados:

—Tú eres nuestro señor, el hijo de nuestro rey, que estábamos esperando.

—No —les contestó el Niño-Estrella—. Yo no soy el hijo del rey, sino el hijo de una pobre mendiga. ¿Y por qué me dicen hermoso, si yo sé que soy muy feo?

Entonces uno cuya armadura tenía incrustaciones de flores doradas y cuyo yelmo ostentaba un león alado, alzó su escudo de armas y exclamó:

—¿Por qué dice mi señor que no es hermoso?

El Niño-Estrella se miró en el escudo, y he aquí que se vio nuevamente como había sido en otros tiempos. Y los sacerdotes y los altos dignatarios se prosternaron diciendo:

—Hace mucho fue profetizado que en este día vendría quien habría de gobernarnos. Por consiguiente, tome nuestro señor esta corona y este cetro y sea en su misericordia y su justicia nuestro rey.

Pero él les contestó diciendo:

—No soy digno de ello, pues he negado a mi madre que me dio a luz, y no descansaré hasta encontrarla y conseguir su perdón. Así, pues, déjenme ir que debo seguir recorriendo por el mundo y no me puedo detener, aunque me ofrezcan una corona y un cetro.

Pero al terminar de hablar, volvió su rostro hacia la calle que conducía a la puerta de la ciudad, y ¡oh milagro!, entre la muchedumbre apiñada tras los soldados, vio a la mendiga que era su madre y junto a ella al leproso del camino.

Dio un grito de júbilo y corrió apartando a la gente, y, arrodillándose ante su madre, le besó las heridas de sus pies y los humedeció con sus lágrimas. Bajó la cabeza, y sollozando como el que tiene desgarrado el corazón, le dijo:

—Madre: te negué en la hora de mi orgullo; recíbeme en la hora de mi humildad. Madre, te aborrecí; dame tu amor. Madre, te rechacé; acoge ahora a tu hijo.

Pero la mendiga no le respondió una palabra. Él entonces se abrazó a los pies del leproso, diciéndole:

—Tres veces tuve compasión de ti; dile a mi madre que no permanezca sin hablarme.

Pero el leproso no le respondió una palabra y él sollozó de nuevo y dijo:

—Madre: mi sufrimiento es superior a mis fuerzas. Perdóname y permíteme que vuelva al bosque. Y la mendiga, poniéndole la mano sobre la cabeza, le dijo:

—¡Levántate!

Y el leproso, poniéndole la mano sobre la cabeza, le dijo también:

—¡Levántate!

Se puso en pie, los miró y... ¡eran un rey y una reina!

Y la reina le dijo:

—Este es tu padre, al que socorriste.

Y el rey le dijo:

—Esta es tu madre, cuyos pies has humedecido con tus lágrimas.

Y lo abrazaron y lo besaron y lo llevaron al palacio, donde lo vistieron con ropas magníficas y le colocaron la corona sobre la cabeza y el cetro entre las manos. Y él gobernó la ciudad junto al río. Y fue su dueño y señor. Fue justo y misericordioso con todos; desterró al mago perverso y colmó de grandes regalos al leñador y su mujer, y de honores a sus hijos; no toleró que nadie se mostrara cruel con los animales ni con los pájaros; dio ejemplo de amor y caridad, vistió al desnudo, y hubo paz y prosperidades sobre la tierra. Pero no gobernó mucho tiempo; sus sufrimientos habían sido tan grandes y tan terribles las fuerzas de sus pruebas, que murió tres años más tarde.

Y su sucesor gobernó con maldad.

El joven rey

Era la noche anterior a la víspera del día fijado para su coronación, el joven rey se hallaba solo, sentado en su espléndida cámara. Sus cortesanos se habían despedido de él, inclinando la cabeza hasta el suelo, según los usos ceremoniosos de la época, y se habían retirado al Gran Salón del Palacio para recibir las últimas lecciones del profesor de etiqueta, pues aún había entre ellos algunos que tenían modales rústicos, lo cual, apenas necesito decirlo, es gravísima falta en cortesanos.

El adolescente –todavía lo era, apenas tenía dieciséis años– no lamentaba que se hubieran ido, y se había echado, con un gran suspiro de alivio, sobre los suaves cojines de su canapé bordado, quedándose allí, con los ojos distraídos y la boca abierta, como uno de los pardos faunos de la pradera, o como animal de los bosques a quien acaban de atrapar los cazadores.

Y en verdad eran los cazadores quienes lo habían descubierto, cayendo sobre él casi por casualidad, cuando, semidesnudo y con su flauta en la mano, seguía el rebaño del pobre pastor que le había educado y a quien creyó siempre su padre.

Hijo de la única hija del viejo rey, casada en matrimonio secreto con un hombre muy inferior a ella en categoría (un extranjero, decían algunos, que había enamorado a la princesa con la magia sorprendente de su arte para tocar el laúd; mientras otros hablaban de un artista, de Rímini, a quien la princesa había hecho muchos honores, quizás demasiados, y que había desaparecido de la ciudad súbitamente, dejando inconclusas sus labores en la catedral), fue arrancado cuando apenas contaba una semana de nacido del lado de su madre, mientras dormía ella, y entregado a un campesino pobre y a su esposa, que no tenían hijos y vivían en un lugar remoto del bosque, a más de un día de camino de la ciudad.

El dolor, o la peste, según el médico de la corte, o, según otros, un rápido veneno italiano servido en vino aromático, mató, una hora después de su despertar, a la blanca princesa, y cuando el fiel mensajero que llevaba al niño sobre la montura de su caballo bajaba del fatigado animal y tocaba a la puerta de la cabaña del cabrero, el cuerpo de la joven madre descendía a la tumba abierta en el patio de una iglesia abandonada, fuera de las puertas de la ciudad. En aquel sepulcro yacía, según la voz popular, otro cuerpo, el de un joven extranjero de singular hermosura, cuyas manos estaban atadas a su espalda con nudosa cuerda, y cuyo pecho estaba lleno de rojas puñaladas.

Tal era, al menos, la historia que la gente susurraba en secreto. Lo cierto era que el viejo rey, en su lecho de muerte, ya sea movido por el remordimiento de su gran pecado, o ya deseoso de que el reino quedara en manos de su descendiente único, había hecho buscar al adolescente y, en presencia del Consejo de la Corona, lo había reconocido como heredero suyo.

Y parece que, desde el primer momento en que el joven fue reconocido, dio muestras de aquella extraña pasión de la belleza que debía ejercer tan grande influjo sobre su vida. Los que lo acompañaron a las habitaciones que se dispusieron para su servicio, hablaban a menudo del grito de felicidad que se le escapó al ver las finas vestiduras y ricas joyas que allí le esperaban, y de la alegría casi feroz con que arrojó su rústica túnica de cuero y su tosco manto de piel de oveja. Echaba de menos, eso sí, a veces, la hermosa libertad de la vida en el bosque, y se mostraba rápido al enojo ante las fastidiosas ceremonias de corte que le ocupaban tanto tiempo cada día; pero el maravilloso palacio –joyeuse lo llamaba–, del cual era señor ahora, le parecía un mundo nuevo recién creado para su alegría; y en cuanto podía escaparse de las reuniones del Consejo y de las cámaras de audiencia bajaba corriendo la gran escalera, donde había leones de bronce dorado y escalones de luciente pórfido, y vagaba de sala en sala, y de corredor en corredor, como quien busca en la armonía el bálsamo contra el dolor, la curación de una enfermedad.

En estos viajes de descubrimiento, según él los llamaba –y en verdad lo eran para él, verdaderos viajes a través de una tierra prodigiosa–, lo acompañaban en ocasiones los delgados y rubios pajes de la corte, con sus mantos flotantes y alegres cintas voladoras; pero las más de las veces iba solo, porque, con rápido instinto, que casi era adivinación, comprendió que los secretos del arte se aprenden mejor en silencio. Y la belleza, como la sabiduría, ama al idólatra solitario.

De él se contaban, en aquella época de su vida, muchas historias curiosas. Se decía que un gordo burgomaestre, que había venido a pronunciar una florida pieza de oratoria en representación de los habitantes de la ciudad, lo había sorprendido contemplando con verdadera adoración un hermoso cuadro que acababan de traer de Venecia. En otra ocasión se había perdido durante varias horas, y después de largas pesquisas se le descubrió en un camarín, en una de las torrecillas del lado norte del palacio, adorando, como en éxtasis, una joya griega.

Se le había visto, según otro rumor, como iluminado ante una estatua antigua de mármol que se había descubierto en el fondo del río, cuando se construyó el puente de piedra. Se había pasado toda una noche contemplando el efecto que producía la luz de la luna sobre una imagen argentada de una diosa.

Todos los materiales raros y preciosos lo fascinaban y en su deseo de obtenerlos había enviado a países extranjeros a muchos mercaderes, unos a comprar ámbar a los rudos pescadores de los mares del Norte; otros a Egipto en busca de aquella curiosa turquesa verde que solo se encuentra en las tumbas de los reyes y dicen que posee propiedades mágicas; otros aun a Persia en busca de alfombras de seda y alfarería pintada, y otros, en fin, a la India a comprar gasa y marfil teñido, piedras lunares y brazaletes de jade, madera de sándalo y esmalte azul y mantos de lana fina.

Pero lo que más le había preocupado era el traje que había de llevar en la fiesta de su coronación, el traje de oro entretejido, y la corona adornada de rubíes, y el cetro con sus hileras y cercos de perlas. En realidad, en eso pensaba aquella noche, mientras yacía en su lujoso canapé, con la vista fija en el gran leño de pino que ardía en la chimenea abierta. Los dibujos, que eran obra de los más famosos artistas de la época, habían sido sometidos a su aprobación meses antes, y él había dado órdenes para que los artífices trabajaran día y noche a fin de ejecutarlos, y para que en el mundo entero se buscaran gemas dignas de su traje. Con la imaginación se veía de pie ante el altar mayor de la catedral, con las hermosas vestiduras regias, y una sonrisa jugueteaba en sus labios infantiles e iluminaba con lustroso brillo sus oscuros ojos.

Poco después se levantó de su asiento y, recostado sobre la repisa de la chimenea, paseó su vista en rededor de la habitación tenuemente alumbrada. Un gran armario con incrustaciones de ágata y lapislázuli llenaba uno de los rincones, y frente a la ventana había un arcón curiosamente labrado con láminas de oro, barnizadas de laca, sobre el cual había unas finas copas de cristal veneciano y una taza de ónix de vetas oscuras. En la colcha de seda de la cama estaban bordadas amapolas pálidas, como si el sueño las hubiera dejado escapar de las fatigadas manos, y altos junquillos de marfil estriado sostenían el dosel de terciopelo, del cual subían, como espuma blanca, grandes plumas de avestruz, hasta la plata pálida del calado techo. Sobre la mesa había un ancho tazón de amatista.

Afuera veía el príncipe la enorme cúpula de la catedral, levantándose como una burbuja sobre las casas sombrías, y miraba a los centinelas haciendo su recorrido, llenos de aburrimiento, sobre la nebulosa terraza del río. Muy lejos, en un huerto, cantaba un ruiseñor. Vago aroma de jazmín entraba por la ventana.

El joven rey echó hacia atrás sus cabellos, y tomando en las manos un laúd, dejó vagar sus dedos sobre las cuerdas. Sus párpados, pesados, cayeron, y una languidez extraña se apoderó de él. Nunca había sentido tan agudamente y con tanta alegría la magia y el misterio del arte.

Cuando la medianoche sonó en el reloj de la torre, tocó un timbre, y sus pajes entraron y lo desvistieron con mucha ceremonia, echándole agua de rosas en las manos y regando flores sobre su almohada. Pocos momentos después de haber salido los pajes, el rey dormía.

* * *

Y mientras dormía soñó, y este fue su sueño:

Creyó estar de pie en un desván largo, de techo bajo, entre el zumbido y repiqueteo de muchos telares. Escasa luz penetraba a través de las enrejadas ventanas, y le mostraba las flacas figuras de los tejedores, inclinados sobre sus bastidores. Niños pálidos, de aspecto enfermizo, se agachaban en los enormes traveses. Cuando las lanzaderas corrían entre la urdimbre, levantaban las pesadas tablillas, y cuando las lanzaderas se detenían, dejaban caer las tablillas y juntaban los hilos. Las caras estaban contraídas por el hambre, y las manos temblaban y se estremecían. Unas mujeres demacradas se hallaban sentadas alrededor de una mesa, tejiendo. Horrible olor llenaba el lugar. El aire estaba pestilente y pesado, y los muros chorreaban humedad.

El joven rey se acercó a uno de los tejedores, se detuvo junto a él y lo contempló.

El tejedor lo miró con ira y dijo:

—¿Por qué me miras? ¿Eres un espía, puesto aquí por el amo?

—¿Quién es tu amo? —preguntó el joven rey.

—¡Nuestro amo! —exclamó el tejedor, con amargura—. Es un hombre como nosotros. Pero, en realidad, hay mucha diferencia entre nosotros: él lleva buena ropa, mientras yo llevo harapos, y mientras yo padezco de hambre, él padece por exceso de alimentación.

—El país es libre —dice el rey— y tú no eres esclavo de nadie.

—En la guerra —dijo el tejedor— los fuertes hacen esclavos a los débiles, y en la paz, los ricos hacen esclavos a los pobres. Tenemos que trabajar para vivir, y nos dan salario tan escaso que nos morimos. Trabajamos para ellos todo el día, y ellos amontonan oro en sus cofres, mientras nuestros hijos se marchitan antes de tiempo, y las caras de los que amamos se vuelven duras y malas. Nosotros pisamos las uvas y otros se beben el vino. Sembramos el trigo, y nuestra mesa está vacía. Estamos en cadenas, aunque nadie las ve; y somos esclavos, aunque los hombres nos llamen libres.

—¿Y ocurre así con todos? —preguntó el rey.

—Así ocurre con todos —contestó el tejedor—, con los jóvenes y con los viejos, con las mujeres y con los hombres, con los niños pequeños y con los viejos que se inclinan al peso de la edad. Los mercaderes nos oprimen y tenemos que hacer su voluntad. El sacerdote cruza junto a nosotros repasando las cuentas del rosario, y nadie se ocupa de nosotros. A través de nuestras callejuelas sin sol se arrastra la Pobreza con sus ojos hambrientos, y el Pecado con su cara consumida la sigue de cerca. La Desgracia nos despierta en la mañana y la Vergüenza nos acompaña en la noche. Pero ¿esto qué te importa a ti? Tú no eres de los nuestros. Tienes cara demasiado feliz.

Y le volvió la espalda gruñendo y echó su lanzadera a través de la urdimbre, y el joven rey vio que llevaba hilos de oro.

Y grave terror se apoderó de él, y dijo al tejedor:

—¿Qué vestidura es la que tejes?

—Es la vestidura para la coronación del joven rey —respondió el obrero—. ¿A ti, qué más te da?

Y el joven rey lanzó un gran grito, y despertó; y he aquí que se hallaba en su propia habitación, y a través de la ventana vio la gran luna color de miel suspendida en el aire oscuro.

* * *

Y se durmió de nuevo, y soñó, y este fue su sueño:

Creyó encontrarse sobre la cubierta de una enorme galera en la que remaban cien esclavos. Sobre una alfombra, junto a él, se hallaba sentado el jefe de la galera. Era negro como el ébano, y su turbante era de seda carmesí. Grandes aros de plata pendían de los espesos lóbulos de sus orejas, y en sus manos tenía una balanza de marfil.

Los esclavos estaban desnudos, salvo el paño de la cintura, y cada hombre estaba atado con cadenas a su vecino. El sol tórrido caía a plomo sobre ellos, y los negros corrían sobre el puente y los azotaban con látigos de cuero. Los esclavos movían los brazos y empujaban los remos a través del agua. Al golpe del remo saltaba la espuma salobre.

Al fin llegaron a una pequeña bahía, y comenzaron a sondear. Ligero viento soplaba de la tierra y cubría de fino polvo rojo el maderamen y la gran vela latina. Tres árabes montados sobre asnos salvajes aparecieron sobre la playa y arrojaron lanzas sobre ellos. El jefe de la galera tomó en sus manos un arco pintado e hirió en la garganta a uno de los árabes, que cayó pesadamente sobre la arena, mientras sus compañeros huyeron galopando. Una mujer envuelta en un velo amarillo les seguía despacio sobre un camello y de cuando en cuando volvía la cabeza hacia el muerto.

Cuando hubieron echado el ancla y bajado la vela, los negros descendieron a la cala del buque y sacaron una larga escala de cuerdas con lastre de plomo. El jefe de la galera echó al agua la escala, después de haber enganchado el extremo en dos puntales de hierro. Entonces los negros asieron al más joven de los esclavos, le quitaron sus grillos, le llenaron de cera las narices y las orejas y le ataron una gran piedra a la cintura. Con aire cansado descendió por la escala y desapareció en el mar. Unas cuantas burbujas se levantaron del lugar donde se hundió. Algunos de los otros esclavos miraron con curiosidad hacia el mar. En la proa de la galera estaba sentado un encantador de tiburones, tocando monótonamente un tambor para alejarlos.

Momentos después, el buzo surgió del agua y jadeando asió

la escala. Traía la perla en la mano derecha. Los negros se la quitaron y volvieron a echarlo al agua. Los esclavos se quedaron dormidos sobre sus remos.

Una vez y otra vez bajó y subió el joven esclavo, y cada vez trajo en la mano una hermosa perla. El jefe de la galera las pesaba y las ponía en un saquito de cuero verde.

El joven rey quería hablar; pero su lengua parecía pegada al paladar, y sus labios se negaban a moverse. Los negros parloteaban entre sí y comenzaron a pelearse por una sarta de cuentas brillantes. Dos grullas volaban en torno al barco.

El buzo subió por última vez y la perla que trajo era más hermosa que todas las perlas de Ormuz, porque tenía forma de luna llena y era más blanca que la estrella de la mañana. Pero la cara del buzo tenía extraña palidez, y se le vio caer sobre la cubierta del buque: le brotaba sangre de la nariz y de las orejas. Se agitó durante breves momentos, y luego dejó de moverse. Los negros se encogieron de hombros, y echaron al agua el cadáver.

Y el jefe de la galera lanzó una carcajada, y extendiendo la mano tomó la perla, y cuando la hubo contemplado, la apretó contra su frente y se inclinó como saludando.

—Será —dijo— para el cetro del joven rey.

E hizo seña a los negros para que levaran el ancla.

Y cuando el joven rey oyó esto, dio un gran grito y despertó, y a través de la ventana vio los largos dedos de la aurora atrapando las estrellas que se apagaban.

* * *

Y se quedó de nuevo dormido, y soñó, y este fue su sueño:

Creyó que vagaba por un bosque oscuro, lleno de frutos extraños y de lindas flores venenosas. Los áspides silbaban a su paso, y los loros relucientes volaban, gritando de rama en rama. Enormes tortugas yacían dormidas sobre el barro caliente. Los árboles estaban llenos de monos y de pavos reales.

Caminó largo tiempo hasta llegar a la salida del bosque, y

allí vio una inmensa multitud de hombres que trabajaban en el lecho de un río seco ya. Llenaban la tierra como hormigas. Abrían hoyos profundos en el suelo y descendían a ellos. Unos rompían las rocas con grandes hachas; otros escarbaban en la arena. Arrancaban de raíz los cactos y pisoteaban las flores de color escarlata. Se movían a prisa, daban voces y ninguno estaba ocioso.

Desde la oscuridad de una caverna, la Muerte y la Avaricia los observaban, y la Muerte dijo:

—Estoy cansada, dame una tercera parte de ellos, y déjame ir.

Pero la Avaricia movió la cabeza negativamente:

—Son mis siervos —dijo.

Y la Muerte le preguntó:

—¿Qué tienes en la mano?

—Tengo tres granos de trigo —contestó la Avaricia—; ¿qué te importa?

—Dame uno de ellos —dijo la Muerte— para plantarlo en mi huerto; uno solo de ellos, y me iré.

—No te doy nada —dijo la Avaricia, y escondió la mano en los pliegues de su vestidura.

Y la Muerte lanzó una carcajada, y tomó en sus manos una taza y la introdujo en un charco de agua, y de la taza se levantó la Fiebre Palúdica. Con ella atravesó por entre la multitud, y la tercera parte de ellos quedaron muertos. Fría niebla la seguía, y las serpientes de agua corrían a su lado.

Y cuando la Avaricia vio que morían tantos hombres, se golpeó el pecho y lloró. Golpeó su pecho estéril y gritó.

—Has matado la tercera parte de mis siervos —gritó—. ¡Vete! Hay guerra en los montes de Tartaria, y los reyes de cada facción te llaman. Los afganos han matado el toro negro y marchan al combate. Pegan en sus escudos con sus lanzas, y se han puesto los yelmos de hierro. ¿Qué tiene mi valle que en él te detienes tanto tiempo? Vete y no vuelvas más.

—No —respondió la Muerte—, no me iré mientras no me des el grano de trigo.

Pero la Avaricia cerró la mano y apretó los dientes:

—No te doy nada —murmuró.

Y la Muerte lanzó una carcajada, y tomó en sus manos una piedra y la lanzó al bosque, y de la maleza de cicutas silvestres salió la Fiebre en traje de llamas. Atravesó la multitud y tocó a los hombres, y murió cada hombre a quien ella tocó. La hierba se secaba bajo sus pies.

Y la Avaricia tembló y se echó ceniza sobre la cabeza.

—Eres cruel —gritó—, eres cruel. Hay hambre en las amuralladas ciudades de la India, y las cisternas de Samarcanda se han secado. Hay hambre en las amuralladas ciudades de Egipto, y las langostas vienen del desierto. El Nilo no ha rebasado sus orillas, y los sacerdotes maldicen a Isis y a Osiris. Vete adonde te necesitan, y déjame mis siervos.

—No —respondió la Muerte—; mientras no me hayas dado un grano de trigo, no me iré.

—No te doy nada —dijo la Avaricia.

Y la Muerte lanzó otra carcajada y silbó por entre los dedos, y por el aire vino volando una mujer. El nombre de Peste estaba escrito sobre su frente, y una multitud de buitres flacos volaba en torno suyo. Cubrió el valle con sus alas, y ningún hombre quedó vivo.

Y la Avaricia huyó gritando a través del bosque y la Muerte subió sobre su caballo rojo y partió al galope, y su galope era más rápido que el viento.

Y del limo, en el fondo del valle brotaron dragones y seres horribles con escamas, y los chacales llegaron trotando por entre la arena, olfateando el aire.

Y el joven rey lloró, y preguntó:

—¿Quiénes eran estos hombres, y qué buscaban?

—Rubíes para una corona de rey —le respondió una voz.

Sobresaltado el rey, se volvió y vio a un hombre en hábito de peregrino, con un espejo de plata en la mano.

Y el rey palideció, y preguntó:

—¿Para qué rey?

Y el peregrino contestó:

—Mira en este espejo y lo verás.

Y miró en el espejo y, al ver su propia cara, lanzó un gran grito y despertó y la vívida luz del sol entraba a torrentes en la habitación, y en los árboles del jardín cantaban los pájaros.

* * *

Y el chambelán y los altos funcionarios del Estado entraron y le hicieron homenaje; y los pajes le trajeron la vestidura de oro entretejido, y pusieron delante de él la corona y el cetro.

Y el joven rey los miró, y eran de gran belleza. Más bellos que cuanto había visto hasta entonces. Pero recordó sus sueños y dijo a sus caballeros:

—Llévense estas cosas, que no voy a usarlas.

Y los cortesanos se asombraron y hubo quienes se rieron, porque creían que se trataba de una broma.

Pero les habló de nuevo con severidad y dijo:

—Llévense estas cosas y escóndanlas lejos de mí. Aunque sea el día de mi coronación, no las usaré. Porque en los telares de la Desgracia y con las blancas manos del Dolor se ha tejido la vestidura. Hay Sangre en el corazón del rubí y hay Muerte en el corazón de la perla.

Y les contó sus tres sueños.

Y cuando los cortesanos los escucharon, se miraron entre sí y murmuraron:

—Ciertamente está loco. ¿Pues no son sueños los sueños y visiones las visiones? No son cosas reales para que hagamos caso de ellas. ¿Y qué tenemos que ver con las vidas de los que trabajan para nosotros? ¿No ha de comer pan el hombre mientras no haya visto al sembrador de trigo, ni ha de beber vino mientras no haya hablado con el viñatero?

Y el chambelán habló al joven rey, y le dijo:

—Señor, le ruego que aleje de usted esos pensamientos negros. Vístase con la hermosa vestidura y ponga la corona sobre su cabeza. Porque ¿cómo sabrá el pueblo que es rey, si no lleva vestidura de rey?

Y el joven rey lo miró y preguntó:

—¿Es así, en verdad? ¿No sabrán que soy rey si no llevo vestidura de rey?

—No lo conocerán, señor —dijo el chambelán.

—Creí que había hombres que tenían aire de reyes —respondió—; pero puede que sea verdad lo que dices. Y, sin embargo, no me pondré esa vestidura, ni me coronaré con esa corona, sino que saldré del palacio como entré en él.

Y pidió a todos que se fueran, excepto a un paje a quien retuvo como compañero, adolescente más joven que él en un año, lo retuvo para su servicio y, cuando se hubo bañado en agua clara, abrió un gran arcón pintado y de él sacó la túnica de cuero y el tosco manto de piel de oveja que usaba cuando desde las colinas vigilaba las hirsutas cabras del pastor. Se puso la túnica y el manto rústico y tomó en sus manos el rudo cayado del pastor.

Y el pajecito abrió con asombro sus grandes ojos azules y le dijo sonriendo:

—Señor, veo su túnica y su cetro, pero ¿dónde está su corona?

Y el joven rey arrancó una rama de espino que trepaba por el balcón y la dobló e hizo con ella un cerco y se lo puso sobre la cabeza.

—Esta será mi corona —respondió.

Y así ataviado salió de su cámara al Gran Salón, donde los nobles lo esperaban.

Y los nobles se burlaban, y hubo quienes gritaron:

—Señor: el pueblo espera a su rey y usted le muestra un mendigo.

Y otros se indignaban y decían:

—Pone en vergüenza al Estado y es indigno de ser nuestro señor.

Pero él no respondió palabra, sino que siguió adelante. Descendió por la luciente escalera de mármol rojo, y salió por las puertas de bronce. Montó sobre su caballo y fue hacia la catedral, mientras el pajecito corría tras él.

Y la gente se reía y decía:

—Es el bufón del rey el que pasa a caballo.

Y se burlaban de él.

Y el rey detuvo al caballo y dijo:

—No; soy el rey.

Y les contó sus tres sueños.

Y un hombre salió de entre la multitud y le habló con amargura, y le dijo:

—Señor, ¿no sabe que del lujo de los ricos se sustenta la vida del pobre? Su vanidad nos nutre y sus vicios nos dan pan. Trabajar para el amo duro es amargo; pero es más amargo aún no tener amo para quien trabajar. ¿Cree usted que los cuervos nos han de alimentar? ¿Y qué remedio propone para estas cosas? ¿Dirá al comprador: "Comprarás tanto", y al vendedor: "Venderás a tal precio"? De seguro que no. Vuelva, pues, a su palacio, y vista la púrpura y el lino. ¿Qué tiene que ver con nosotros, ni con lo que sufrimos?

—¿No son hermanos el rico y el pobre? —preguntó el rey.

—Sí —respondió el hombre— y el hermano rico se llama Caín.

Y al joven rey se le llenaron los ojos de lágrimas, y siguió avanzando a caballo por entre los murmullos de la gente, y el pajecito se asustó y lo abandonó.

* * *

Y cuando llegó al pórtico de la catedral, los soldados le opusieron sus alabardas y le dijeron:

—¿Qué buscas aquí? Nadie ha de entrar por esta puerta sino el rey.

Y la cara se le enrojeció de ira, y les dijo:

—Soy el rey.

Y apartando las alabardas, pasó por entre ellos y entró al templo.

Y cuando el anciano obispo lo vio entrar vestido de cabrero, se levantó con asombro de su trono, y avanzó a recibirlo y le dijo:

—Hijo mío, ¿es este el traje de un rey? ¿Y con qué corona he de coronarte, y qué cetro colocaré en tus manos? Ciertamente, para ti este debiera ser día de gozo y no de humillación.

—¿Debe la Alegría vestirse con lo que fabricó el Dolor? —dijo el joven rey. Y contó al obispo sus tres sueños.

Y cuando el obispo los oyó, frunció el ceño y dijo:

—Hijo mío, soy un anciano y estoy en el invierno de mis días y sé que se hacen muchas cosas malas en el ancho mundo. Los bandidos feroces bajan de las montañas y se llevan a los niños y los venden a los moros. Los leones acechan a las caravanas y saltan sobre los camellos. Los jabalíes salvajes arrancan de raíz el trigo de los valles, y las zorras roen las vides de la colina. Los piratas asolan las costas del mar y queman los barcos de los pescadores y les quitan sus redes. En los pantanos salinos viven los leprosos; tienen casas de juncos y nadie puede acercárseles. Los mendigos vagan por las ciudades y comen su comida con los perros. ¿Puedes impedir que estas cosas sean? ¿Harás del leproso tu compañero de lecho y sentarás al mendigo a tu mesa? ¿Hará el león lo que le mandes y te obedecerá el jabalí? ¿No es más sabio que tú aquel que creó la desgracia? Rey, no aplaudo lo que has hecho, sino que te pido que vuelvas al palacio y te pongas las vestiduras que sientan a un rey, y con la corona de oro te coronaré y el cetro de perlas colocaré en tus manos. Y en cuanto a los sueños, no pienses más en ellos. La carga de este mundo es demasiado grande para que la soporte un solo hombre y el dolor del mundo es demasiado para que lo sufra un solo corazón.

—¿Eso dices en esta casa? —interrogó el joven rey; y dejó atrás al obispo, subió los escalones del altar, y se detuvo ante la imagen de Cristo.

A su mano derecha y a su izquierda se hallaban los vasos maravillosos de oro, el cáliz con el vino amarillo y con el óleo santo. Se arrodilló ante la imagen de Cristo y las velas ardían esplendorosamente junto al santuario enjoyado y el humo del incienso se rizaba en círculos azules al ascender a la cúpula. Inclinó la cabeza en oración y los sacerdotes de vestiduras rígidas huyeron del altar.

Y de pronto se oyó el tumulto desatado que reinaba en la calle y los nobles entraron al templo espada en mano y agitando sus plumeros y con escudos de pulido acero.

—¿Dónde está el soñador de locuras? —exclamaban—. ¿Dónde está el rey vestido de mendigo, el que trae la vergüenza sobre el Estado? En verdad que hemos de matarlo, porque es indigno de regirnos.

Y el joven rey inclinó de nuevo la cabeza y oró, y he aquí que, a través de las vidrieras de colores, bajaba sobre él a torrentes la luz del día, y los rayos del sol tejieron en torno suyo una vestidura más hermosa que aquella que fue tejida para darle placer. El cayado seco floreció y se llenó de lirios más blancos que las perlas. La seca rama de espino floreció, y dio rosas más rojas que los rubíes. Más blancos que perlas finas eran los lirios, y sus pecíolos eran de plata luciente. Más rojas que rubíes espinelas eran las rosas, y sus hojas eran de oro batido.

Se quedó inmóvil en su traje de rey, y las puertas del enjoyado santuario se abrieron, y del cristal de la custodia radiante brotó maravillosa y mística luz. Se quedó inmóvil en su traje de rey, y la Gloria del Señor llenó el lugar, y los santos en sus nichos labrados parecían moverse. Con el hermoso traje quedó inmóvil ante ellos, y el órgano lanzó su música, y los trompeteros soplaron en sus trompetas, y los niños cantores alzaron sus voces.

Y el pueblo cayó de rodillas con espanto, y los nobles envainaron sus espadas y le rindieron homenaje, y el obispo palideció y le temblaron las manos:

—Te ha coronado uno más grande que yo —dijo, y se arrodilló ante él.

Y el joven rey descendió del altar mayor, y caminó hacia el palacio, en medio de la multitud. Pero ninguno se atrevió a mirarlo a la cara, porque era semejante a la cara de los ángeles.

La esfinge sin secretos
Un aguafuerte

Una tarde, tomaba mi vermú en la terraza del Café de la Paix, contemplando el esplendor y la miseria de la vida parisina y asombrándome del extraño panorama de orgullo y pobreza que desfilaba ante mis ojos, cuando oí que alguien me llamaba. Me di vuelta y vi a lord Murchison. No nos habíamos vuelto a ver desde nuestra época de estudiantes, hacía casi diez años, así que me encantó encontrarme de nuevo con él y nos dimos un fuerte apretón de manos. En Oxford habíamos sido grandes amigos. Yo lo había apreciado muchísimo, ¡era tan apuesto, íntegro y divertido! Solíamos decir que habría sido el mejor de los compañeros si no hubiese dicho siempre la verdad, pero creo que todos le admirábamos más por su franqueza. Me pareció que estaba muy cambiado. Daba la impresión de estar inquieto y desorientado, como si dudara de algo. Comprendí que no podía ser un caso de escepticismo moderno, pues Murchison era el más firme de los conservadores, y creía con la misma convicción en el Pentateuco que en la Cámara de los Lores; así que llegué a la conclusión de que se trataba de una mujer, y le pregunté si se había casado.

—No comprendo suficientemente bien a las mujeres —respondió.

—Mi querido Gerald —dije—, las mujeres están hechas para ser amadas, no para ser comprendidas.

—Soy incapaz de amar a alguien en quien no puedo confiar —contestó.

—Creo que hay un misterio en tu vida, Gerald —exclamé—; ¿de qué se trata?

—Vamos a dar una vuelta en coche —contestó—, aquí hay demasiada gente. No, un carruaje amarillo no, de cualquier otro color... Mira, aquel verde oscuro servirá.

Y poco después bajábamos trotando por el bulevar en dirección a la Madeleine.

—¿Dónde vamos? —quise saber.

¡Oh, donde tú quieras! —contestó—. Al restaurante en el Bois de Boulogne; cenaremos allí y me hablarás de tu vida.

—Me gustaría que tú lo hicieras antes —dije—. Cuéntame tu misterio.

Lord Murchison sacó de su bolsillo una cajita de tafilete con cierre de plata y me la entregó. La abrí. En el interior llevaba la fotografía de una mujer. Era alta y delgada, y de un extraño atractivo, con sus grandes ojos de mirada distraída y su pelo suelto. Parecía una clarividente, e iba envuelta en lujosas pieles.

—¿Qué opinas de esa cara? –me preguntó—. ¿La crees sincera?

La examiné detenidamente. Tuve la sensación de que era la cara de alguien que guardaba un secreto, aunque fuese incapaz de adivinar si era bueno o malo. Se trataba de una belleza moldeada a fuerza de misterios; una belleza psicológica, en realidad, no plástica; y el atisbo de sonrisa que rondaba sus labios era demasiado sutil para ser realmente dulce.

—Bueno —exclamó impaciente—, ¿qué me dices?

—Es la Gioconda envuelta en martas cibellinas —respondí—. Cuéntame todo sobre ella.

—Ahora no, después de la cena –respondió—. Y se puso a hablar de otras cosas.

Cuando el camarero trajo el café y los cigarrillos, recordé a Gerald su promesa. Se levantó de su asiento, recorrió dos o tres veces de un lado a otro la habitación y, desplomándose en un sofá, me contó la siguiente historia:

«—Una tarde —dijo—, estaba paseando por Bond Street alrededor de las cinco. Había una gran aglomeración de carruajes por un terrible choque, y éstos estaban casi parados. Cerca de la acera, había un pequeño coche amarillo que, por algún motivo, atrajo mi atención. Al pasar junto a él, vi asomarse el rostro que te he enseñado esta tarde. Me fascinó al instante. Estuve toda la noche obsesionado con él, y todo el día siguiente. Caminé por esa maldita calle mirando dentro de todos los carruajes y esperando la llegada del coche amarillo; pero no pude encontrar a ma belle inconnue[2] y empecé a pensar que se trataba de un sueño. Aproximadamente una semana después, tenía una cena en casa de Madame de Rastail. La cena iba a ser a las ocho; pero, media hora después, seguíamos esperando en el salón. Finalmente, el criado abrió la puerta y anunció a lady Alroy. Era la mujer que había estado buscando. Entró muy despacio, como un rayo de luna vestido de encaje gris y, para mi inmenso placer, me pidieron que la acompañase al comedor.

»—Creo que la vi en Bond Street hace unos días, lady Alroy —exclamé con la mayor inocencia cuando nos sentamos.

»Se puso muy pálida y me dijo quedamente:

»—No hable tan alto, por favor; pueden oírlo.

»Me sentí muy desdichado por haber empezado tan mal, y me sumergí imprudentemente en el asunto del teatro francés. Ella apenas decía nada, siempre con la misma voz baja y musical, y parecía tener miedo de que alguien la escuchara. Me enamoré apasionada, estúpidamente de ella, y la indefinible atmósfera de misterio que la rodeaba despertó mi más ferviente curiosidad. Cuando estaba a punto de marcharse, poco después de la cena, le pregunté si me permitiría ir a visitarla. Ella pareció vacilar, miró a uno y otro lado para comprobar si había alguien cerca de nosotros, y luego repuso:

»—Sí, mañana a las cinco menos cuarto.

---

2 "Mi bella desconocida". En francés en el original.

»Pedí a Madame de Rastail que me hablara de ella, pero lo único que logré saber fue que era una viuda con una casa preciosa en Park Lane; y como algún aburrido científico empezó a disertar sobre las viudas, a fin de ilustrar la supervivencia de los más capacitados para la vida matrimonial, me despedí y regresé a casa.

»Al día siguiente llegué a Park Lane con absoluta puntualidad, pero el mayordomo me comunicó que lady Alroy acababa de marcharse. Me dirigí al club bastante apesadumbrado y totalmente perplejo, y, después de meditarlo con detenimiento, le escribí una carta pidiéndole permiso para intentar visitarla en cualquier otra tarde. No recibí ninguna respuesta en varios días, pero finalmente llegó una pequeña nota diciendo que estaría en casa el domingo a las cuatro, y con esta extraordinaria postdata: "Le ruego por favor que no vuelva a escribirme a esta dirección; se lo explicaré cuando le vea". El domingo me recibió y no pudo estar más encantadora; pero, cuando iba a marcharme, me suplicó que, si en alguna ocasión le escribía de nuevo, dirigiera mi carta a la señora Knox, Biblioteca Whittaker, Green Street.

»—Existen razones —dijo— que no me permiten recibir cartas en mi propia casa.

»Durante toda aquella temporada, la vi con asiduidad. Y jamás la abandonó aquel aire de misterio. A veces se me ocurría pensar que estaba bajo el poder de algún hombre, pero parecía tan inaccesible que no podía creerlo. Era realmente difícil para mí llegar a alguna conclusión, pues era como uno de esos extraños cristales que se ven en los museos, y que tan pronto son transparentes como opacos. Al final decidí pedirle que se casara conmigo: estaba harto del constante sigilo que imponía a todas mis visitas y a las escasas cartas que le enviaba. Le escribí a la biblioteca para preguntarle si podía reunirse conmigo el lunes siguiente a las seis. Me respondió que sí, y transportado por el placer, yo me sentí en el séptimo cielo. Estaba loco por ella, a pesar del misterio, pensaba yo entonces –por efecto de él, comprendo ahora–. No; era la mujer lo que yo amaba. El misterio me molestaba, me enloquecía. ¿Por qué me puso el azar en su camino?

—Entonces, ¿lo descubriste? —dije.

—Eso me temo —repuso—. Puedes juzgarlo por ti mismo.

»El lunes fui a almorzar con mi tío y, hacia las cuatro, llegué a Marylebone Road. Mi tío, como sabes, vive en Regent's Park. Yo deseaba llegar a Piccadilly y, para acortar camino, atravesé un montón de viejas callejuelas. De pronto, vi delante de mí a lady Alroy, completamente tapada con un velo y andando muy deprisa. Al llegar a la última casa de la calle, subió los escalones, sacó una llave y entró en ella. "He aquí el misterio", pensé; y me acerqué presuroso a examinar la vivienda. Parecía uno de esos lugares que alquilan habitaciones. Su pañuelo se había caído en el umbral. Lo recogí y lo metí en mi bolsillo. Entonces empecé a cavilar sobre lo que debía hacer. Llegué a la conclusión de que no tenía el menor derecho a espiarla y me dirigí en carruaje al club. A las seis aparecí en su casa. Se hallaba recostada en un sofá, con un elegante vestido de tisú plateado sujeto con unas extrañas adularias que siempre llevaba. Estaba muy hermosa.

»—No sabe cuánto me alegro de verlo —dijo—; no he salido en todo el día.

»La miré sorprendido, y sacando el pañuelo de mi bolsillo, se lo entregué.

»—Se le cayó esta tarde en Cummor Street, lady Alroy —señalé sin inmutarme.

»Me miró horrorizada, pero no hizo ninguna tentativa de agarrar el pañuelo.

»—¿Qué estaba haciendo allí? —inquirí.

»—¿Y qué derecho tiene usted a preguntármelo? —exclamó ella.

»—El derecho de un hombre que la quiere —contesté—; he venido para pedirle que sea mi mujer.

»Ocultó el rostro entre las manos y se deshizo en un mar de lágrimas.

»—Debe contármelo —proseguí.

»Ella se puso en pie y, mirándome a la cara, respondió:

»—Lord Murchison, no tengo nada que contarle.

»—Fue usted a reunirse con alguien —afirmé—; ése es su misterio.

»Lady Alroy adquirió una palidez cadavérica y dijo:

»—No fui a reunirme con nadie.

»—¿Acaso no puede decir la verdad? —exclamé.

»—Ya se la he dicho —respondió.

»Yo estaba irascible, enloquecido; no recuerdo mis palabras, pero la acusé de cosas terribles. Finalmente, me precipité fuera de su domicilio. Ella me escribió una carta al día siguiente; se la devolví sin abrir y me fui a Noruega con Alan Colville. Regresé un mes más tarde y lo primero que leí en el *Morning Post* fue la muerte de lady Alroy. Se había resfriado en la ópera, y había muerto de una congestión pulmonar a los cinco días. Me encerré en casa y no quise ver a nadie. La había querido demasiado, la había amado con locura. ¡Santo Dios! ¡Cuánto había amado a esa mujer!

—¿Y nunca fuiste a aquella casa? —le interrumpí.

—Sí —replicó.

»Un día me dirigí a Cummor Street. No pude evitarlo; me angustiaba la duda. Llamé a la puerta y me abrió una mujer de aire respetable. Le pregunté si tenía alguna habitación para alquilar.

»—Verá, señor —contestó—, en teoría los salones están alquilados; pero, como hace tres meses que la señora no viene y que nadie paga la renta, puede usted quedarse con ellos.

»—¿Es ésta su inquilina? —quise saber, mostrándole la foto.

»—Sin duda alguna —exclamó—, ¿y cuándo piensa volver, señor?

»—La señora ha fallecido —dije.

»—¡Oh, señor, espero que no sea cierto! —dijo la mujer—. Era mi mejor inquilina. Me pagaba tres guineas a la semana sólo por sentarse en mis salones de vez en cuando.

»—¿Se reunía con alguien? —le pregunté.

»Pero la mujer me aseguró que no, que siempre llegaba sola y jamás veía a nadie.

»—¿Y qué hacía entonces ella aquí? —inquirí.

»—Se limitaba a sentarse en el salón, señor, y leía libros; a veces también tomaba el té —respondió ella.

»No supe qué contestarle, así que le di una libra y me marché.

—Y bien, ¿qué crees que significaba todo aquello? ¿No pensarás que la mujer decía la verdad?

—Pues sí que lo pienso. Lo creo.

—Entonces, ¿por qué acudía allí lady Alroy?

—Mi querido Gerald —le respondí—, lady Alroy era simplemente una mujer obsesionada con el misterio. Alquiló esas habitaciones por el placer de ir allí tapada con su velo, imaginando que era la heroína de una novela. Le encantaban los secretos, pero no era más que una esfinge sin secreto.

—¿De veras lo crees?

—Estoy convencido—contesté.

Sacó la cajita de tafilete, la abrió y contempló la fotografía.

—Yo me lo sigo preguntando —dijo finalmente.

El crimen de Lord Arthur Savile
Un estudio sobre el deber

I

Era la última recepción que daba Lady Windermere, antes de comenzar la temporada primaveral. Los salones de Bentinck House se hallaban con más invitados que nunca. Acudieron seis ministros, una vez terminada la interpelación del orador, ostentando sus cruces y sus bandas, y todas las mujeres bonitas de Londres lucían sus toilettes más elegantes. Al final de la galería de retratos estaba la princesa Sophia de Carlsrühe, una dama gruesa de tipo tártaro, con ojillos negros y unas esmeraldas maravillosas, farfullando francés con voz muy aguda y riéndose sin mesura de todo cuanto decían.

Realmente se veía allí una singular mezcolanza de personas. Arrogantes esposas de pares del reino charlaban cortésmente con virulentos radicales; predicadores populares se codeaban con inveterados escépticos, y una banda de obispos seguía la pista, de salón en salón, a una corpulenta prima donna; en la escalera se agrupaban varios miembros de la Real Academia, disfrazados de artistas, y el comedor se vio por un momento abarrotado de genios. En una palabra: era una de las más deslumbrantes reuniones de lady Windermere y la princesa se quedó hasta cerca de las once y media.

Inmediatamente después, Lady Windermere volvió a la galería de retratos, en la que un famoso economista explicaba con aire solemne la teoría científica de la música a un virtuoso húngaro espumeante de indignación, y se puso a hablar con la duquesa de Paisley. Lady Windermere estaba maravillosamente bella con su esbelto cuello marfileño, sus grandes ojos azules color miosotis y sus espesos bucles dorados. Cabellos de oro puro, no como esos de tono pajizo que usurpan hoy día la bella denominación del oro, sino cabellos de un oro como tejido con rayos de sol o bañados en un ámbar extraño; cabellos que encuadraban su rostro con un nimbo de santa y, al mismo tiempo, con la fascinación de una pecadora. Lady Windermere constituía realmente un curioso estudio psicológico. Desde muy joven descubrió en la vida la importante verdad de que nada se parece tanto a la ingenuidad como el atrevimiento; y, por medio de una serie de aventuras despreocupadas, inocentes por completo en su mayoría, logró todos los privilegios de una personalidad. Había cambiado varias veces de marido. En el *Debrett* o *Guía nobiliaria*, aparecía con tres matrimonios en su haber; pero nunca cambió de amante y el mundo había dejado de chismorrear acerca de ella desde hacía tiempo. En la actualidad contaba cuarenta años, no tenía hijos y poseía esa pasión desordenada por el placer que constituye el secreto de la eterna juventud.

De repente, miró con curiosidad a su alrededor y preguntó con su clara voz de contralto:

—¿Dónde está mi quiromántico?

—¿Su qué, Gladys? —exclamó la duquesa con un estremecimiento involuntario.

—Mi quiromántico, duquesa. No puedo vivir ya sin él.

—¡Querida Gladys! ¡Usted siempre tan original! —murmuró la duquesa, intentando recordar lo que era exactamente un quiromántico y confiando en que no sería lo mismo que un pedicuro.

—Viene a leer mi mano dos veces por semana —prosiguió lady Windermere— y es muy interesante.

"¡Dios mío! —pensó la duquesa—. Debe de ser una especie de manicuro. ¡Es atroz! Supongo que por lo menos será extranjero. Así no resultará tan desagradable".

—Tengo que presentárselo a usted —dijo lady Windermere.

—¡Presentármelo! —exclamó la duquesa—. ¿Quiere usted decir que está aquí?

Recogió su abanico de carey y su chal de encaje antiquísimo, como preparándose para huir a la primera alarma.

—Claro que está aquí; no podría ocurrírseme dar una reunión sin él. Dice que tengo una mano esencialmente psíquica y que, si mi dedo pulgar fuera un poquito más corto, sería yo una pesimista de convicción y estaría recluida en un convento.

—¡Ah, sí! —profirió la duquesa, ya tranquila—. Dice la buenaventura, ¿no es eso?

—Y la mala también —respondió lady Windermere—, y muchas cosas por el estilo. El año próximo, por ejemplo, correré un gran peligro, en tierra y por mar. De modo que tendré que vivir en globo. Todo eso está escrito aquí, sobre mi dedo meñique... o en la palma de mi mano, no recuerdo bien.

—Pero realmente eso es tentar al cielo, Gladys.

—Mi querida duquesa: la providencia puede resistir, seguramente, a la tentación en estos tiempos. Creo que todos debían hacerse leer las manos una vez al mes, con objeto de enterarse de lo que les está prohibido. Claro es que harían lo mismo; pero ¡resulta tan agradable saber lo que va a ocurrir! Si no tiene nadie la amabilidad de ir a buscar ahora a míster Podgers, iré yo misma.

—Permítame que me encargue de ello, lady Windermere —dijo un muchacho alto y distinguido que estaba presente y seguía la conversación con sonrisa divertida.

—Muchas gracias, lord Arthur; pero temo que no le reconozca usted.

—Si es tan extraordinario como usted dice, lady Windermere, no podrá escapárseme. Dígame únicamente cómo es y dentro de un momento se lo traeré.

—Bueno; no tiene nada de quiromántico; quiero decir con esto que no tiene nada de misterioso, nada esotérico, ningún aspecto romántico. Es un hombrecillo grueso, con una cabeza cómicamente calva y grandes gafas de oro; un personaje entre médico y notario pueblerino. Siento que sea así, pero no tengo yo la culpa. ¡Es tan absurda la gente! Todos mis pianistas tienen aspecto de poetas y todos mis poetas, aspecto de pianistas. Recuerdo ahora que la temporada última invité a comer a un tremendo conspirador, hombre que había hecho volar con dinamita a infinidad de gente y que llevaba siempre una cota de mallas y un puñal escondido en la manga. Pues bien; sepan ustedes que, a pesar de todo, tenía el completo aspecto de un buen sacerdote viejecito y durante toda la noche se mostró muy chistoso; realmente, resultó muy divertido, encantador; pero yo me sentí cruelmente desilusionada y, cuando le pregunté por su cota de mallas, se contentó con reírse y me dijo que era demasiado fría para usarla en Inglaterra. ¡Ah, ya está aquí míster Podgers! Bueno, desearía, míster Podgers, que leyese usted la mano de la duquesa de Paisley. Duquesa, ¿quiere usted quitarse el guante? No, el de la izquierda, no; el de la derecha.

—Mi querida Gladys: realmente, no creo que esto sea del todo correcto —dijo la duquesa, desabrochando un guante de cabritilla bastante sucio.

—Lo que es interesante no es nunca correcto —dijo lady Windermere—. *On a fait le monde ainsi*[3]. Pero tengo que presentarles: míster Podgers, mi quiromántico favorito; la duquesa de Paisley. Como le diga a usted que tiene el «monte de la luna» más desarrollado que el mío, no volveré a creerle nunca.

—Estoy segura, Gladys, de que no habrá nada de eso en mi mano —dijo la duquesa en tono grave.

—Vuestra gracia está en lo cierto —replicó míster Podgers,

---

3 "Así hicieron al mundo". En francés en el original.

echando un vistazo sobre la manecita regordeta de dedos cortos—: «el monte de la luna» no está desarrollado. Sin embargo, la «línea de la vida» es excelente. Tenga la amabilidad de doblar la muñeca... Gracias. Tres rayas clarísimas en la *rascette*[4], o línea del puño; en la juntura de la mano con el brazo. Vivirá usted hasta una edad avanzada, duquesa, y será extraordinariamente feliz. Ambición moderada, línea de la inteligencia sin exageración, línea del corazón...

—Sea usted indiscreto sobre este punto, míster Podgers —interrumpió lady Windermere.

—Nada sería tan agradable para mí —replicó míster Podgers inclinándose— si la duquesa diese lugar a ello; pero siento anunciar que descubro una gran constancia en su afecto, combinada con un sentido muy arraigado del deber.

—Tenga usted la bondad de seguir, míster Podgers —dijo la duquesa con aire satisfecho.

—La economía no es la menor de las virtudes de vuestra gracia —prosiguió míster Podgers. Lady Windermere soltó la carcajada.

—La economía es cualidad excelente —observó la duquesa con agrado—. Cuando me casé, Paisley poseía once castillos y ni una casa presentable donde pudiera vivirse.

—Y ahora es dueño de doce casas y no tiene ni un castillo —exclamó lady Windermere.

—Sí, querida —dijo la duquesa—; a mí me gusta...

—La comodidad —dijo míster Podgers— y los adelantos modernos y el agua caliente en todas las habitaciones. Vuestra gracia tiene perfecta razón. La comodidad es lo único bueno que ha producido nuestra civilización.

—Ha descrito usted admirablemente el carácter de la duquesa, míster Podgers. Tenga usted la bondad de decirnos ahora el de lady Flora —y, respondiendo a una señal de la dueña de la casa, sonriente, una muchachita de cabellos rojos de escocesa y

4 En francés en el original. En quiromancia se aplica a la parte de la palma donde se cruzan las líneas de la mano.

de hombros aupados se levantó torpemente del sofá y mostró una mano larga y huesuda, con dedos aplastados como espátulas.

—¡Ah, ya veo que es una pianista! —dijo míster Podgers—. Una excelente pianista, aunque no sea quizá una compositora excepcional. Muy reservada, tímida y dotada de un exaltado amor a los animales.

—¡Completamente cierto! —exclamó la duquesa, volviéndose hacia lady Windermere—. Absolutamente exacto. Flora posee dos docenas de perros en Macloskie y llenaría nuestra casa de Londres con una verdadera *ménagerie* si su padre lo permitiese.

—Pues eso es precisamente lo que hago yo los jueves por la noche —replicó lady Windermere, echándose a reír—. Sólo que yo prefiero los «leones»[5] a los perros.

—Es su único error, lady Windermere —dijo míster Podgers con un saludo ceremonioso.

—Si una mujer no puede hacer deliciosos sus errores, es una criatura infeliz —le respondió—. Pero es preciso que lea usted otras manos. Acérquese, sir Thomas, y enséñele la suya a míster Podgers.

Y un señor viejo, de figura distinguida, que vestía frac azul, se adelantó y ofreció al quiromántico una mano ancha y ordinaria, con el dedo medio muy largo.

—Carácter aventurero; en el pasado, cuatro largos viajes y uno en el porvenir. Ha naufragado tres veces. No; dos veces solamente; pero está en peligro de naufragar durante el próximo viaje. Conservador a fondo, muy puntual; tiene la manía de coleccionar curiosidades. Una enfermedad grave entre los dieciséis y los dieciocho años. Ha heredado una gran fortuna a los treinta. Gran aversión por los gatos y los radicales.

—¡Extraordinario! —exclamó sir Thomas—. Tiene usted que leer también la mano de mi mujer.

—De su segunda mujer —dijo gravemente míster Podgers, que seguía reteniendo la mano de sir Thomas en la suya—. Lo haré gustoso.

---

5 El término "león" se utiliza metafóricamente en inglés para aludir a una persona célebre.

Pero lady Marwell, dama de aspecto melancólico, con pelo negro y pestañas de sentimental, se negó rotundamente a dejar revelar su pasado ni su porvenir. A pesar de todos sus esfuerzos, tampoco pudo conseguir lady Windermere que consintiera ni en quitarse los guantes mister Koloff, el embajador de Rusia.

En realidad, muchas personas temieron enfrentarse con aquel extraño hombrecillo, de sonrisa estereotipada, con gafas de oro y ojos de un brillo de azabache. Y cuando dijo a la pobre lady Fermor en alta voz y delante de todos que le interesaba poquísimo la música, pero que la volvían loca los músicos, pensaron todos que la quiromancia era una ciencia peligrosa, que no se podía fomentar más que en un *tête-á-tête*.

Sin embargo, lord Arthur Savile, que no estaba enterado del desdichado incidente de lady Fermor y que seguía con vivísimo interés las palabras de míster Podgers, sintió una gran curiosidad para que leyese su mano. Como tenía cierta timidez en adelantarse, cruzó la habitación, acercándose al sitio donde estaba sentada lady Windermere, y ruborizándose, lo cual le sentaba muy bien, le preguntó si creía que míster Podgers accedería a ello.

Claro que sí —dijo lady Windermere—; para eso está aquí. Todos mis leones, lord Arthur, son leones amaestrados y saltan por el aro cuando yo quiero. Pero debo advertirle que se lo diré todo a Sybil. Vendrá mañana a comer conmigo para hablar de sombreros y si míster Podgers descubre que tiene usted mal carácter, es propenso a la gota o una mujer que viva en Bayswater[6], no dejaré de contárselo.

—Eso no me asusta —contestó sonriendo lord Arthur—. Sybil me conoce tan bien como yo a ella.

—¡Ah! Lo lamento realmente. La mejor base del matrimonio es una incomprensión mutua. Y no es que sea yo cínica: tengo experiencia únicamente, lo cual es, con mucha frecuencia, lo mismo. Míster Podgers, lord Arthur Savile se muere de ganas

6 Barrio cerca de Kensington Park donde viven mujeres mantenidas por la aristocracia londinense

de que lea usted su mano. No le diga que es el prometido de una de las muchachas más bonitas de Londres, porque hace ya un mes que el *Morning Post* publicó esa noticia.

—Mi querida lady Windermere —exclamó la marquesa de Jedburgh—, tenga la bondad de permitir a míster Podgers que se detenga aquí un minuto más. Está diciéndome que voy a actuar en el teatro y esto me interesa en sumo grado...

—Si le ha dicho a usted eso, lady Jedburgh, no vacilaré en llamarle. Venga inmediatamente, míster Podgers, y lea la mano de lord Arthur.

—Bueno —dijo lady Jedburgh, haciendo un leve mohín de disgusto, mientras se levantaba del sofá—; si no me está permitido salir a escena, supongo que me dejarán asistir al espectáculo.

—Naturalmente; vamos a asistir todos a la representación —replicó lady Windermere—. Míster Podgers continúe usted y díganos algo bueno de lord Arthur, que es uno de mis más estimados favoritos.

Pero en cuanto míster Podgers examinó la mano de lord Arthur, palideció de un modo extraño y no dijo nada. Pareció recorrerle un escalofrío; sus espesas cejas temblaron convulsivamente con aquella singular contracción tan irritante que le dominaba cuando estaba turbado. Gruesas gotas de sudor brotaron entonces de su frente amarillenta, como un rocío envenenado, y sus manos carnosas se quedaron frías y viscosas.

Lord Arthur no dejó de notar aquellos extraños signos de agitación y por vez primera en su vida tuvo miedo. Su primer impulso fue escapar del salón, pero se contuvo. Mejor era conocer la verdad, por mala que fuese, que permanecer en aquella incertidumbre.

—Estoy esperando, míster Podgers —dijo.

—Estamos esperando todos —exclamó lady Windermere con su tono vivo, impaciente; pero el quiromántico no contestó.

—Creo que lord Arthur va a dedicarse al teatro —dijo lady Jedburgh— y que, después de oír a lady Windermere, míster Podgers no se atreve a decírselo.

De pronto, míster Podgers dejó caer la mano derecha de lord Arthur y le asió la izquierda fuertemente, doblándose tanto para examinarla que el marco de oro de sus anteojos pareció rozar la palma. Durante un momento su cara fue una máscara lívida de horror; pero recobró enseguida su *sang-froid*[7] y, mirando a lady Windermere, le dijo con una sonrisa forzada:

—Es la mano de un muchacho encantador. —Ciertamente —contestó lady Windermere—; pero ¿será un marido encantador? Eso es lo que necesito saber.

—Todos los muchachos encantadores lo son igualmente como maridos —dijo míster Podgers.

—No creo que un marido deba ser demasiado seductor — exclamó lady Windermere—. Pero lo que quiero son detalles; lo único interesante son los detalles. ¿Qué le sucederá a lord Arthur?

—Dentro de unos meses emprenderá un viaje...

—Claro: el de su luna de miel.—Y que perderá un pariente.

—Confío en que no será su hermano —dijo lady Jedburgh con tono compasivo.

—Ciertamente que no —respondió míster Podgers, tranquilizándola con un gesto—. Será un pariente lejano simplemente.

—Bueno; me siento cruelmente desilusionada —dijo lady Windermere—. No podré decirle nada a Sybil mañana. ¿Quién se preocupa hoy de los parientes lejanos? Hace ya muchos años que pasaron de moda. A pesar de lo cual, supongo que Sybil hará bien en comprarse un vestido de seda negro; siempre podrá servirle para ir a la iglesia. Y ahora vamos a tomar algo. Se habrán comido todo; pero aún encontraremos una taza de caldo caliente. François preparaba antes un caldo riquísimo; pero ahora le veo tan preocupado con la política, que nunca estoy segura de nada con él. Quisiera realmente que el general Boulanger permaneciera quieto. Duquesa, tengo la seguridad de que está usted fatigada.

—Absolutamente nada, mi querida Gladys —respondió la

---

7 En francés en el original

duquesa, yendo hacia la puerta—; me he divertido muchísimo; su pedicuro, no, su quiromántico es muy interesante. Flora, ¿dónde podrá estar mi abanico de carey?... ¡Oh, gracias, sir Thomas, mil gracias! ¿Y mi chal de encaje, Flora?... ¡Oh, gracias, sir Thomas! Es usted muy amable.

Y la digna dama terminó de bajar la escalera sin dejar caer más que dos veces su frasquito de esencia.

Mientras, lord Arthur Savile permaneció cerca de la chimenea, oprimido por el mismo sentimiento de terror, por la misma preocupación enfermiza respecto a un porvenir negro. Sonrió tristemente a su hermana cuando pasó a su lado del brazo de lord Plymdale, preciosa con su vestido de brocado rosa y sus perlas, y casi no oyó a lady Windermere, que le invitaba a seguirla. Pensó en Sybil Merton y, a la sola idea de que podía interponerse algo entre ellos dos, se le llenaron los ojos de lágrimas.

Quien le hubiese mirado habría dicho que Némesis se apoderaba del escudo de Palas Atenea, mostrándole la cabeza de la Gorgona. Parecía petrificado y su cara presentaba el aspecto de un mármol melancólico. Había vivido la vida delicada y lujosa de un joven bien nacido y rico; una vida exquisita, libre de toda baja inquietud, llena de una bella despreocupación infantil. Y ahora, por primera vez, tenía conciencia del terrible misterio del destino, de la espantosa idea de la fatalidad. ¡Qué disparatado y monstruoso le parecía todo aquello! ¿Podría ser que lo que estaba escrito en su mano con caracteres que él no sabía leer, pero que otro descifraba, fuese el terrible secreto de alguna culpa, el signo sangriento de algún crimen? ¿No habría escape?

¿No somos entonces más que peones de ajedrez puestos en juego por una fuerza invisible, más que vasijas que el alfarero modela a su gusto para honor o descrédito? Su razón se rebelaba contra aquel pensamiento; y, sin embargo, sentía una tragedia suspendida sobre su vida, como si estuviera destinado de repente a soportar una carga intolerable. Los actores son, generalmente, gente dichosa. Pueden elegir, para representar, la tragedia o la comedia, el dolor o la diversión; pueden escoger entre hacer reír o hacer llorar. Pero en la vida real es muy distinto. Infinidad de hombres y mujeres se ven obligados a representar papeles para los cuales no estaban designados. Nuestros *Guildenstrens*[8] hacen de Hamlets y nuestros Hamlets intentan bromear como el príncipe Hal. El mundo es un escenario, pero la obra tiene un reparto deplorable. De pronto míster Podgers entró en el salón. Al ver a lord Arthur, se detuvo, y su carnoso perfil ordinario tomó un tinte amarillo verdoso. Los ojos de los dos hombres se encontraron y hubo un momento de silencio.

—La duquesa se ha dejado aquí uno de sus guantes, lord Arthur, y me ha pedido que se lo lleve —dijo, por fin, míster Podgers—. ¡Ah, allí lo veo, sobre el sofá! Buenas noches.

—Míster Podgers, no tengo más remedio que insistir en que me dé una respuesta categórica a la pregunta que voy a hacerle.

—En otra ocasión, lord Arthur. La duquesa me espera; debo reunirme con ella.

—No irá usted. La duquesa no tiene prisa.

—Las mujeres no acostumbran esperar —dijo míster Podgers con una sonrisa forzada—. El bello sexo es impaciente.

Los labios finos y como bruñidos de lord Arthur se plegaron con altivo desdén. La pobre duquesa le parecía de poquísima importancia en aquel momento.

Cruzó el salón, llegó hasta el sitio donde se había parado míster Podgers y le alargó su mano derecha.

—¡Dígame lo que ve usted aquí! ¡Dígame la verdad! Quiero saberlo. No soy un niño.

Los ojos de míster Podgers tuvieron un vivo parpadeo tras sus anteojos de oro; se balanceó con aire turbado sobre uno y otro pie, mientras sus dedos jugueteaban nerviosamente con la brillante cadena de su reloj.

—¿Por qué cree usted, lord Arthur, que he visto en su mano algo más de lo que le he dicho?

—Sé que ha visto usted algo más e insisto en que me lo diga. Le daré un cheque de cien guineas.

---

8 Uno de los cuatro cortesanos de Hamlet.

Los ojillos verdes de míster Podgers relampaguearon durante un segundo y luego volvieron a quedarse inexpresivos.

—¿Cien guineas? —dijo, por fin, míster Podgers en voz baja.

—Sí, cien guineas. Le enviaré un cheque mañana. ¿Cuál es su club?

—No pertenezco a ningún club; es decir, no pertenezco por el momento. Pero mis señas son... Permítame que le dé una tarjeta.

Y sacando del bolsillo del pecho una cartulina de cantos dorados, míster Podgers la mostró con un profundo saludo a lord Arthur, que leyó lo siguiente:

MR. SEPTIMUS R. PODGERS. QUIROMÁNTICO PROFESIONAL. WEST MOON STREET, 1030.

—Recibo consultas de diez a cuatro —murmuró míster Podgers con voz mecánica— y hago descuentos a las familias.

—¡Apresúrese! —gritó lord Arthur, poniéndose muy pálido y tendiéndole la mano.

Míster Podgers miró a su alrededor nerviosamente y corrió la pesada cortina sobre la puerta.

—Durará un tiempo, lord Arthur. Mejor hará usted en sentarse.

—¡Apresúrese, caballero! —gritó de nuevo lord Arthur, colérico, dando un violento golpe con el pie en el suelo encerado.

Míster Podgers sonrió y, sacando de su bolsillo una lupa, se puso a limpiarla cuidadosamente con el pañuelo.

—Ya estoy preparado y a su disposición —dijo.

II

Diez minutos más tarde, lord Arthur Savile, con la cara lívida de terror y los ojos enloquecidos de angustia, se precipitaba fuera de Bentinck House. Se abrió paso entre el tropel de lacayos, cubiertos de pieles, que esperaban bajo la marquesina del gran pabellón.

Lord Arthur parecía no ver ni oír absolutamente nada.

La noche era muy fría y los faroles a gas alrededor de la plaza centelleaban, vacilantes, baja los latigazos del viento; pero él sentía en sus manos un calor febril y las sienes le ardían como brasas.

Andaba zigzagueando por la acera, como un borracho. Un policía le miró con curiosidad al pasar y un mendigo que salió del marco de un portal para pedirle limosna retrocedió aterrado, al ver un infortunio mayor que el suyo. En un momento dado, lord Arthur Savile se detuvo debajo de un farol y se miró las manos. Creyó ver la mancha de sangre que las delataba y un débil grito brotó de sus labios trémulos.

¡Asesino! Ésta era la palabra que había leído el quiromántico sobre ellas. ¡Asesino! La noche misma parecía saberlo y el viento desolado la zumbaba en sus oídos. Los rincones oscuros de las calles estaban llenos de aquella acusación, que gesticulaba ante sus ojos en los tejados.

Primero fue al parque, cuyo bosque sombrío parecía fascinarle. Se apoyó en la verja con aire extenuado, refrescando su frente con la humedad del hierro y escuchando el silencio rumoroso de los árboles.

«¡Asesino! ¡Asesino!», se repitió, como si en la repetición la acusación pudiera atenuar el sentido de la palabra. El sonido de su propia voz le hizo estremecer y, a pesar de esto, deseó casi que el eco recogiese y despertara de sus sueños a la ciudad adormecida. Sentía impulsos de detener al primer transeúnte casual y contárselo todo.

Después siguió su marcha, vagando alrededor de la calle de Oxford, por un laberinto de callejuelas estrechas e ignominiosas. Dos mujeres de caras pintarrajeadas se mofaron de él a su paso. De un patio lóbrego llegó hasta sus oídos un ruido de juramentos y de golpes, seguidos de gritos penetrantes; y apretujados en montón, bajo una puerta húmeda y fría, vio las espaldas arqueadas y los cuerpos agotados de la pobreza y la decrepitud. Le sobrecogió una extraña piedad.

Aquellos hijos del pecado y de la miseria, ¿estaban fatalmente predestinados como él? ¿Acaso no eran tan sólo, como él, muñecos de un teatro monstruoso?

Y, sin embargo, no fue el misterio, sino la comedia del sufrimiento la que le conmovió con su absoluta inutilidad y su grotesca falta de sentido. ¡Qué incoherente y qué desprovisto de armonía le pareció todo! Le dejó atónito el desacuerdo existente entre el optimismo superficial de nuestro tiempo y la realidad de la vida. Era todavía muy joven.

Después se encontró frente a la iglesia de Marylebone. La calle, silenciosa, parecía una larga cinta de plata bruñida, moteada aquí y allá por los oscuros arabescos de las sombras movedizas.

A lo lejos se redondeaba en círculo la línea de luces de los faroles de gas vacilantes, y ante una casita rodeada por un muro estaba parado un coche de alquiler, solitario, cuyo cochero dormía en el interior. Lord Arthur se dirigió con paso rápido en dirección a la plaza de Porland, mirando a cada momento a su alrededor, como si temiera que le siguiesen. En la esquina de la calle Rich estaban parados dos hombres leyendo un anuncio en una valla. Un extraño sentimiento de curiosidad le dominó y cruzó la calle hacia aquel sitio. Ya cerca, la palabra asesino impresa en letras negras hirió sus ojos.

Se detuvo y una oleada de rubor tiñó sus mejillas. Era un grupo ofreciendo una recompensa a quien facilitase detalles que cooperasen a la detención de un individuo de estatura regular, entre los treinta y los cuarenta años, que llevaba un sombrero blanco de alas levantadas, una chaqueta negra y unos pantalones escoceses y que tenía una cicatriz en la mejilla derecha. Lord Arthur leyó y releyó el anuncio. Se preguntó si aquel hombre sería detenido y cómo se habría hecho aquella herida. ¡Quizá algún día su nombre se vería expuesto de igual modo en los muros de Londres! ¡Quizá algún día pondrían también precio a su cabeza!

Aquel pensamiento le dejó descompuesto de horror y, girando sobre sus talones, huyó en la noche.

Apenas si sabía dónde estaba. Recordaba confusamente haber vagado por un laberinto de casas sórdidas, perdiéndose en una gigantesca maraña de calles sombrías, y empezaba a despuntar el alba cuando se dio cuenta, por fin, de que se hallaba en Piccadilly Circus. Al poco rato, cuando pasaba por Belgrave Square, se encontró con los grandes carros de transporte que se dirigían al mercado de Covent Garden. Los carreteros con sus blusas blancas y sus rostros agradables, bronceados por el sol, de revueltos cabellos rizados, apresuraban vigorosamente el paso restallando sus fustas y hablándose a gritos. Sobre el lomo de un enorme caballo gris, el primero de la reata, iba montado un mozo mofletudo con un ramito de prímulas en su sombrero de alas caídas, agarrándose con mano firme a las crines y riendo a carcajadas. En la claridad matinal los grandes montones de legumbres se destacaban como bloques de jade verde sobre los pétalos rosados de una flor mágica. Lord Arthur experimentó un sentimiento de viva conmoción, sin que pudiese decir por qué. Había algo en la delicada belleza del alba que le emocionaba inefablemente y pensó en todos los días que despuntan y mueren en medio de la tempestad. Aquellos hombres rudos, con sus voces broncas, su grosero buen humor y su andar perezoso, ¡qué Londres más extraño veían! ¡Un Londres lleno de los crímenes nocturnos y del humo del día; una ciudad pálida, fantasmagórica; una ciudad desolada de tumbas! Se preguntó lo que pensarían de ella y si sabrían algo de sus esplendores y de sus vergüenzas, de sus goces soberbios, tan bellos de color; de su hambre atroz y de todo cuanto brota y se marchita en Londres desde la mañana hasta la noche. Probablemente, para ellos era tan sólo el mercado adonde llevaban a vender sus productos y en el que no permanecían más que unas horas a lo sumo, dejando a su regreso las calles todavía en silencio y las casas aún dormidas. Sintió un gran placer en verlos pasar. Por muy zafios que fuesen con sus zapatones claveteados y sus andares ordinarios, llevaban consigo algo de la Arcadia. Lord Arthur vio que habían vivido con la naturaleza y que ésta les enseñó la paz, y envidió su ignorancia.

Cuando llegó al final de Belgrave Square, el cielo era de un azul desvanecido y los pájaros empezaban a piar en los jardines.

III

Cuando lord Arthur despertó, estaba ya muy avanzada la mañana y el sol de mediodía se filtraba a través de las cortinas de seda marfileña de su dormitorio. Se levantó y fue a mirar por el ventanal. Una vaga neblina de calor flotaba sobre la gran ciudad y los tejados de las casas parecían de plata oxidada. Por el césped tembloroso de la plaza de abajo se perseguían unos niños como mariposas blancas, y las aceras estaban llenas de gentes que se dirigían al parque.

Nunca le pareció la vida tan hermosa ni tan alejada de él la maldad. Entonces su criado le trajo una taza de chocolate sobre una bandeja. Después de bebérsela, levantó una pesada cortina color albaricoque y pasó al cuarto de baño. La luz entraba suavemente desde lo alto a través de unas delgadas hojas de ónice transparente y el agua en la pila de mármol tenía el brillo apagado de la piedra lunar.

Lord Arthur se sumergió rápidamente hasta que el agua rozó su cuello y sus cabellos; entonces se metió bruscamente, como si quisiera purificarse de la mancha de algún recuerdo infamante. Cuando salió del baño, se sintió casi serenado. El bienestar físico que había experimentado le dominó, como sucede a menudo a las naturalezas refinadas, pues los sentidos, como el fuego, pueden purificar o destruir.

Después de almorzar se recostó en un diván y encendió un cigarrillo. Sobre la repisa de la chimenea, enmarcada con un brocado antiguo finísimo, había un gran retrato de Sybil Merton, tal como la vio por primera vez en el baile de lady Noel. La pequeña cabeza, de un modelado delicioso, se inclinaba ligeramente a un lado, como si el estilizado cuello, delgado y frágil al modo de una caña, no pudiese apenas soportar el peso de tanta belleza; los labios estaban un poco entreabiertos y parecían conformados para una suave música, y en sus ojos soñadores se leían las sorpresas de la más tierna pureza virginal; ceñida en su vestido de blanco crespón de China, con un gran abanico de plumas en la mano, parecía una de esas delicadas estatuillas descubiertas en los bosques de olivos próximas a Tanagra; y había en su postura y en su actitud rasgos de gracia helénica.

Sin embargo, no era menuda, sino perfectamente proporcionada, cosa rara en una edad en que tantas mujeres son o más altas de lo debido, o insignificantes.

Contemplándola en aquel momento, lord Arthur se sintió lleno de esa terrible piedad que nace del amor. Comprendió que casarse con ella, teniendo pendiente el delito suspendido sobre su cabeza, sería una traición como la de Judas, un crimen peor que todos los que planearon los Borgia. ¿De qué felicidad gozarían cuando en cualquier momento podía verse forzado a ejecutar la espantosa profecía escrita en su mano? ¿Cuál sería su vida mientras el destino mantuviese aquella terrible orden en su balanza? Era preciso a toda costa retrasar el matrimonio. Estaba completamente decidido a ello. Aunque amase ardientemente a Sybil, aunque el simple contacto de sus dedos, cuando estaban sentados juntos, hiciese estremecer de exquisito goce todas las fibras de su ser, no dejaba de reconocer cuál era su deber y estaba totalmente convencido de que no tenía derecho a casarse con ella mientras no cometiera el crimen. Una vez ejecutado, podría presentarse ante el altar con Sybil Merton y depositar su vida en manos de la mujer amada, sin temor a remordimientos. Podría estrecharla entre sus brazos, sabiendo que ella no tendría nunca que sentirse avergonzada. Pero antes tenía que efectuarlo: cuanto antes lo hiciera sería mejor para ambos.

Muchos, en su caso, hubiesen preferido el camino sembrado de rosas de la dilación a la empinada cumbre del deber; pero lord Arthur era demasiado escrupuloso para colocar el placer por encima de sus principios. En su amor no había una simple atracción sensual: Sybil simbolizaba para él todo lo que hay de bueno y de noble en el mundo. Durante un momento sintió una repugnancia instintiva contra la tarea que el destino le obligaba a realizar; pero en seguida se desvanecía aquella impresión. Su corazón le dijo que aquello no era un crimen, sino un sacrificio; su razón le recordó que no le quedaba ninguna otra salida. Era preciso elegir entre vivir para él o vivir para los demás y, por terrible que fuera en realidad aquella tarea que le estaba impuesta, sabía que no debía permitir que el egoísmo venciera al amor. Más tarde o más temprano cada uno de nosotros está obligado a resolver ese mismo problema, ya que a cada uno de nosotros se le plantea la misma cuestión. A lord Arthur se le presentó muy pronto en la vida, antes de que corrompiese su carácter el cinismo calculador en la edad madura, o antes de que le corroyese el corazón el egoísmo frívolo o elegante de nuestra época; y él no vaciló en cumplir su deber. Afortunadamente para él, no era un simple soñador o un diletante ocioso. De serlo, habría dudado, como Hamlet, permitiendo que la irresolución destruyese su propósito. Pero era un hombre esencialmente práctico. Para él la vida representaba acción antes que pensamiento. Poseía ese don tan raro entre nosotros que se llama sentido común.

Las sensaciones crueles y violentas de la noche anterior se habían borrado ahora por completo y pensaba, casi con un sentimiento de vergüenza, en su loca caminata de calle en calle, en su terrible agonía emotiva. La misma sinceridad de su sufrimiento lo hacía ahora pasar por inexistente ante sus ojos. Se preguntaba cómo había podido ser tan loco para indignarse y delirar contra lo inevitable. La única cuestión que ahora parecía turbarle era cómo llevaría a cabo su obra, pues no era tan obcecado que negase el hecho de que el crimen, como las religiones paganas, exige una víctima y un sacerdote. Como lord Arthur no era un genio, no tenía enemigos y, por otro lado, comprendía que no era ocasión de satisfacer un rencor o un odio personal, la misión de la que estaba encargado era de una grave y elevada solemnidad. Por consiguiente, hizo una lista de sus amigos y parientes en una hoja de un libro de notas y, después de un minucioso examen, se decidió en favor de lady Clementina Beauchamp, una estimable dama, ya de edad, que vivía en Curzon Street y era prima segunda suya por parte de su madre. Tuvo siempre un gran afecto por lady Clem, como la llamaba todo el mundo; y como él era rico por su casa, pues entró en posesión de toda la fortuna de lord Rugby al llegar a su mayoría de edad, estaba descartada la sospecha de que le trajese ningún despreciable beneficio económico la muerte de aquella pariente. Realmente, cuanto más reflexionaba en el asunto, más veía en lady Clem la persona que le convenía escoger; y pensando que todo aplazamiento era una mala acción con respecto a Sybil, decidió ocuparse inmediatamente de los preparativos.

Lo primero que debía hacer, indudablemente, era saldar cuentas con el quiromántico. Así, se sentó ante una mesita Sheraton's colocada frente a la ventana y llenó un cheque de 105 guineas, pagadero a la orden de míster Septimus Podgers; después lo metió en un sobre y ordenó a su criado que lo llevase a WestMoon Street. Enseguida telefoncó a su cochera ordenando que enganchasen el cupé y se vistió para salir. Antes de marcharse de la habitación, dirigió una mirada al retrato de Sybil Merton, jurándose que, pasara lo que pasase, no le diría nunca lo que iba a hacer por amor a ella y que guardaría el secreto de su sacrificio en el fondo de su corazón.

De camino hacia el club de Buckingham se detuvo en una tienda de flores y envió a Sybil un cesto de narcisos de hermosos pétalos blancos y de pistilos parecidos a ojos de faisán. Cuando llegó al Club, fue directamente a la biblioteca, tocó el timbre y pidió al camarero que le trajese una limonada y un tratado de toxicología. Decidió en definitiva que el veneno era el instrumento que más le convenía adoptar para su enojoso trabajo. Nada le desagradaba tanto como un acto de violencia personal y, además, tenía especial interés en no asesinar a lady Clementina con algún medio que pudiese llamar la atención de la gente, pues le horrorizaba la idea de convertirse en el hombre de moda en casa de lady Windermere o de ver figurar su nombre en las crónicas de los periódicos que lee el vulgo. Necesitaba también tener en cuenta a los padres de Sybil que, como pertenecían a un mundo un poco anticuado, podrían oponerse al matrimonio si se producía algún escándalo; aunque estaba seguro de que, si les contara todos los incidentes del suceso, serían los primeros en comprender los motivos que le impulsaban a obrar así. Tenía, pues, perfecta razón al decidirse por el veneno. Era inofensivo, seguro, silencioso, y actuaba sin necesidad de escenas penosas, por las cuales sentía él profunda aversión, como muchos ingleses.

Sin embargo, no conocía absolutamente nada de la ciencia de los venenos y, como el criado era, por lo visto, incapaz de encontrar algo en la biblioteca que no fuera la *Ruffs Guide* o el *Bailey' Magazine*, examinó por sí mismo los estantes llenos de libros y acabó por encontrar una edición muy bien encuadernada de la *Farmacopea* y un ejemplar de la *Toxicología de Erskine*, editada por sir Mathew Reid, presidente de la Real Academia de Medicina y uno de los miembros más antiguos del Buckingham Club, para el que fue elegido por confusión con otro candidato, contratiempo que disgustó tanto a la junta que, cuando el candidato auténtico se presentó, fue derrotado por unanimidad. Lord Arthur se quedó desconcertadísimo ante los términos técnicos empleados en los dos libros y empezaba a recriminarse por no haber prestado más atención a sus estudios en Oxford, cuando en el tomo segundo de Erskine encontró una explicación acertadísima y muy completa de las propiedades del acónito, redactada en un inglés clarísimo. Le pareció aquél el veneno que le convenía por todos los conceptos; era muy activo, por no decir casi instantáneo; en sus efectos no causaba dolores y, tomado en forma de cápsula de gelatina, como recomendaba sir Mathew, era insípido al paladar. Por tanto, anotó en el puño de la camisa la dosis necesaria para ocasionar la muerte, devolvió los libros a su sitio y se encaminó por la calle de Saint-James hasta casa de Pestle y Humbey, los grandes farmacéuticos. Míster Pestle, que servía siempre personalmente a sus clientes de la aristocracia, se quedó muy sorprendido de su petición y, con tono amabilísimo, murmuró algo respecto a la necesidad de una receta médica. Sin embargo, no bien lord Arthur le explicó que era para dárselo a un gran perro danés, del cual se veía obligado a desembarazarse porque presentaba síntomas de hidrofobia, habiendo intentado dos veces morder a su cochero en una pantorrilla, pareció completamente satisfecho y, después de felicitar a lord Arthur por sus extraordinarios conocimientos de toxicología, confeccionó inmediatamente la preparación.

Lord Arthur colocó la cápsula en una bonita bombonera de plata que adquirió en una tienda de la calle de Bond, tiró la cajita de píldoras de Pestle and Humbey y se encaminó directamente a casa de lady Clementina.

—¿Qué cuenta, *monsieur le mauvais sujet*[9]? —le gritó la vieja señora al entrar él en su salón—. ¿Por qué no ha venido usted a verme en todo este tiempo?

—Mi querida lady Clem, no tengo nunca un momento ni siquiera para mí —replicó lord Arthur con una sonrisa.

—Supongo que querrás decir que te pasas los días con la señorita Sybil Merton comprando géneros y diciendo tonterías. No acabo de comprender por qué la gente alborota tanto para casarse. En mis tiempos no hubiéramos pensado nunca en exhibirnos y en hacernos arrumacos tanto en público como en privado por cosa tan vulgar.

—Le aseguro que no he visto a Sybil desde hace veinticuatro horas, lady Clem. Que yo sepa, pertenece por completo a sus modistas.

—¡Claro! Es el único motivo que puede traerte por casa de una mujer vieja como yo... Me pregunto por qué los hombres no hacen caso de las advertencias. *On a fait des folies pour moi*[10]y aquí me tienes, hecha una pobre reumática, con pelo postizo y mal humor. Bueno, y si no fuese por esa querida lady Jansen que me manda las peores novelas francesas que puede encontrar, no sé cómo serían mis días. Los médicos no sirven más que para sacar dinero a sus clientes. Ni siquiera me pueden curar la enfermedad del estómago.

—Le traigo un remedio para ella, lady Clem —dijo gravemente lord Arthur—. Es una cosa maravillosa, inventada por un americano.

9 "Muchacho malvado". En francés en el original.

10 "Hicieron muchas locuras por mí". En francés en el original.

—No me gustan nada los inventos americanos, Arthur; estoy segura de que no me gustan. He leído últimamente varias novelas americanas y eran verdaderas insensateces.

—¡Oh! Esto no es ninguna insensatez, lady Clem. Le aseguro que es un remedio infalible. Tiene usted que prometerme que lo probará.

Y lord Arthur sacó de su bolsillo la bombonera y se la ofreció a lady Clementina.

—¡Pero es deliciosa esta bombonera, Arthur! Una verdadera joya. Eres amabilísimo. Y aquí está el remedio; parece un bombón. Voy a tomarlo ahora mismo.

—¡Por Dios, lady Clem! —exclamó lord Arthur, deteniéndola—. ¡No haga usted eso! Es una medicina homeopática. Si la toma usted sin tener dolor de estómago, le sentaría mal. Espere a que se presente un ataque y entonces recurra a ella. Quedará asombrada del resultado.

—Me hubiese gustado tomarla inmediatamente —dijo lady Clementina, mirando a trasluz la capsulita transparente, con su burbuja flotante de aconitina líquida—. Te lo confieso: detesto a los médicos, pero adoro las medicinas. Sin embargo, la guardaré para mi próximo ataque.

—¿Y cuándo cree usted que sobrevendrá ese ataque? —preguntó lord Arthur, impaciente—. ¿Será pronto?

—No lo espero hasta dentro de una semana. Ayer pasé un día malísimo; ¡pero nunca se sabe!

—¿Está usted segura entonces de padecer un ataque antes de fin de mes, lady Clem?

—Mucho me lo temo. ¡Pero cuánto afecto me demuestras hoy, Arthur! Realmente, la influencia de Sybil te es muy beneficiosa. Y ahora debes marcharte. Ceno con gente aburrida que carece de conversación entretenida, y sé que, si no duermo un poco antes, me será imposible permanecer despierta durante la cena. Adiós, Arthur. Cariños a Sybil y un millón de gracias por tu remedio americano.

—No se olvidará usted de tomarlo, ¿verdad, lady Clem? —dijo lord Arthur, levantándose.

—Claro que no me olvidaré, tontito. Encuentro muy amable que te preocupes de mí. Ya te escribiré si necesito más cápsulas.

Lord Arthur salió de casa de lady Clementina lleno de bríos y sintiéndose reconfortado.

Aquella noche tuvo una entrevista con Sybil Merton. Le dijo que se veía de pronto en una situación horriblemente difícil, ante la cual no le permitían retroceder ni su honor ni su deber. Le explicó que era preciso aplazar la boda, pues hasta que no estuviese exento de aquel compromiso no recobraría su libertad. Le rogó que confiase en él y que no dudase del porvenir. Todo marcharía bien, pero era necesario tener paciencia.

La escena tenía lugar en el invernadero de la residencia de míster Merton, en Park Lane, donde cenó lord Arthur como de costumbre. Sybil no se mostró nunca tan desdichada y hubo un momento en que lord Arthur sintió la tentación de portarse como un cobarde y de escribirle a lady Clementina revelándole lo de la cápsula, dejando que se efectuara el casamiento, como si no existiese en el mundo míster Podgers. No obstante, su buen criterio se impuso enseguida y no cedió ni al arrojarse Sybil llorando en sus brazos. La belleza que hacía vibrar sus sentidos despertó igualmente su conciencia. Comprendió que perder una vida tan hermosa por unos cuantos meses de placer era realmente una acción feísima.

Estuvo con Sybil hasta cerca de medianoche, consolándola y recibiendo ánimos de su parte. Y al día siguiente, muy temprano, salió para Venecia, después de haber escrito a míster Merton una carta varonil y firme respecto al aplazamiento necesario de la boda.

IV

En Venecia se encontró con su hermano, lord Surbiton, que acababa de llegar de Corfú en su yate. Los dos jóvenes pasaron juntos unas semanas encantadoras. Por la mañana navegaban hasta el Lido o iban de un lado para otro por los canales verdes en su alargada góndola negra; por la tarde, recibían generalmente visitas a bordo del yate y, por la noche, comían en el Florian y fumaban innumerables cigarrillos paseando por la plaza. A pesar de todo, lord Arthur no era feliz. Todos los días recorría la columna de defunciones del *Times*, esperando encontrar la noticia de la muerte de lady Clementina; pero siempre sufría una decepción. Empezó a temer que le hubiese ocurrido algún accidente y sintió muchas veces no haberle dejado tomar la aconitina cuando quiso ella probar sus efectos. Las cartas de Sybil, aunque llenas de amor, de confianza y de ternura, tenían con frecuencia un tono triste, y a veces pensaba que se había separado de ella para siempre.

Al cabo de quince días, lord Surbiton se cansó de Venecia y decidió recorrer la costa hasta Rávena, pues había oído decir que en Pinetum había un certamen de tiro de primerísimo nivel. Lord Arthur, al principio, se negó terminantemente a acompañarle; pero Surbiton, a quien quería muchísimo, le persuadió por fin de que, si seguía viviendo en el hotel Danielli, se moriría de tedio, y el día quince, por la mañana, zarparon con un fuerte viento nordeste y un mar bastante picado. La travesía fue agradable y la vida al aire libre hizo reaparecer los frescos colores en las mejillas de lord Arthur; pero hacia el día veintidós volvieron a invadirle sus preocupaciones respecto a lady Clementina y, a pesar de las exhortaciones de Surbiton, regresó en tren a Venecia.

Cuando desembarcó de su góndola en los escalones del hotel, el dueño fue a su encuentro llevando un telegrama. Lord Arthur se lo arrebató de las manos y lo abrió, rasgándolo con brusco ademán. ¡Éxito total!: lady Clementina había muerto repentinamente, por la noche, cinco días antes.

El primer pensamiento de lord Arthur fue para Sybil y le envió un telegrama anunciándole su regreso inmediato a Londres. Enseguida ordenó a su criado que preparase el equipaje, quintuplicó la propina a su gondolero y subió hacia su habitación con paso ligero y corazón alegre. Allí le esperaban tres cartas. Una de ellas llena de cariño, con un pésame muy sentido, era de Sybil; las otras, de la madre de Arthur y del notario de lady Clementina. Parecía ser que la vieja señora cenó con la duquesa la noche antes de su muerte. Encantó a todo el mundo con su gracia, pero se retiró temprano, quejándose de dolor de estómago. A la mañana siguiente la encontraron muerta en su lecho, sin que pareciese haber sufrido en modo alguno.

Se avisó entonces a sir Mathew Reid, pero era ya inútil, y fue enterrada en Beauchamp Chalcote el día veintidós. Pocos días antes de su muerte hizo testamento. Dejaba a lord Arthur su casita de Curzon Street. Todo su mobiliario, su capital, su galería de cuadros, menos la colección de miniaturas, que legaba a su hermana lady Margaret Rufford, y su collar de amatistas, que dejaba a Sybil Merton. El inmueble no valía mucho; pero míster Mansfield, el notario, deseaba vivamente que viniese lord Arthur lo antes posible, porque había muchas deudas que pagar, ya que lady Clementina no pudo tener nunca sus cuentas en regla. A lord Arthur le conmovió mucho aquel buen recuerdo de lady Clementina y pensó que míster Podgers tenía realmente que asumir una grave responsabilidad en aquel asunto. Su amor por Sybil dominó, sin embargo, cualquier otra emoción y la plena conciencia de que había cumplido su deber le tranquilizó, dándole ánimos. Al llegar a Charing Cross se sintió dichoso por completo. Los Merton le recibieron muy afectuosos. Sybil le hizo prometer que no toleraría ningún obstáculo que se interpusiera entre ellos y quedó fijada la boda para el siete de junio. La vida le parecía, una vez más, brillante y hermosa, y toda su antigua alegría renacía en él.

Sin embargo, pocos días después haciendo el inventario de la casa de Curzon Street con el notario de lady Clementina y con Sybil, quemando paquetes, cartas amarillentas y desechando extraños cachivaches, de pronto la joven lanzó un grito de alegría.

—¿Qué has encontrado, Sybil? —inquirió lord Arthur, levantando la cabeza y sonriendo.

—Esta bombonerita de plata. ¡Es preciosa! Parece holandesa. ¿Me la regalas? Las amatistas no me sentarán bien, creo yo, hasta que tenga ochenta años.

Era la cajita con la cápsula de aconitina.

Lord Arthur se estremeció y un rubor repentino inflamó sus mejillas. Ya casi no se acordaba de lo que había hecho y le pareció una extraña coincidencia que fuese Sybil, por cuyo amor pasó todas aquellas angustias, la primera en recordárselo.

—Tuya es, desde luego. Fui yo quien se la regaló a lady Clem.

—¡Oh, gracias, Arthur! ¿Y este bombón, me lo das también? No sabía que le gustasen los dulces a lady Clementina. La creía demasiado intelectual.

Lord Arthur se quedó intensamente pálido y una idea horrible cruzó por su imaginación.

—¡Un bombón, Sybil! ¿Qué quieres decir? —preguntó con voz ronca y apagada.

—Sí; hay un bombón dentro; uno solo, rancio ya y sucio... No me resulta nada apetitoso, pero ¿qué sucede, Arthur? ¡Estás muy pálido!

Lord Arthur saltó de su silla y agarró la bombonera. Dentro estaba la píldora ambarina, con su glóbulo de veneno. ¡A pesar de todos sus esfuerzos, lady Clementina había fallecido de muerte natural!

La conmoción que le produjo aquel descubrimiento fue superior a sus fuerzas. Tiró la píldora al fuego y se desplomó sobre el sofá con un grito desesperado.

V

Míster Merton se quedó muy desconsolado ante aquel segundo aplazamiento y lady Julia, que tenía encargado ya su vestido para la boda, hizo todo cuanto pudo por convencer a Sybil de la necesidad de una ruptura. A pesar del inmenso cariño que Sybil profesaba a su madre, había entregado su vida a lord Arthur y nada de lo que le dijo aquélla pudo torcer su voluntad.

En relación con lord Arthur necesitó muchos días para reponerse de su cruel decepción y, por espacio de una temporada, tuvo los nervios descompuestos. Sin embargo, recobró pronto su excelente sensatez, y su criterio sano y práctico no le dejó titubear durante mucho tiempo sobre la conducta que debía seguir.

Ya que el veneno había fallado por completo, era preciso emplear la dinamita o cualquier otro explosivo de este género.

Examinó de nuevo la lista de sus amigos y parientes, y después de maduras reflexiones decidió volar a su tío el deán de Chichester. A éste, que era un hombre de gran cultura y talento, le entusiasmaban los relojes. Tenía una colección maravillosa de aparatos para medir el tiempo; colección que abarcaba desde el siglo XV hasta nuestros días. Le pareció a lord Arthur que aquella manía del bonachón deán le proporcionaba una excelente base para realizar sus planes. Pero conseguirse una máquina explosiva era ya otra cosa.

La guía de Londres no le daba ninguna indicación respecto a ello y pensó que le reportaría muy poca utilidad dirigirse a Scotland Yard: allí no se enteran nunca de los hechos y movimientos de los dinamiteros sino después de una explosión y, aun entonces, no del todo.

De pronto pensó en su amigo Ruvaloff, joven ruso, de tendencias revolucionarias, a quien conoció el invierno anterior en casa de lady *Windermere*.

Al parecer, el conde de Ruvaloff estaba escribiendo acerca de la vida de Pedro el Grande. Fue a Inglaterra con el propósito de estudiar los documentos referentes a la estancia del zar en ese país, en calidad de carpintero naval; pero todos sospechaban que era agente nihilista y era evidente que la embajada rusa no veía con buenos ojos su presencia en Londres.

Lord Arthur pensó que aquél era el hombre que le convenía y una mañana se trasladó a su casa de Bloomsbury para pedirle consejo y ayuda.

—¿Al fin piensa usted ocuparse seriamente de política? —preguntó el conde de Ruvaloff, cuando lord Arthur le expuso el objetivo de su visita.

Pero éste, que detestaba las fanfarronadas, se creyó en la obligación de explicarle que las cuestiones sociales no ofrecían el menor interés para él y que necesitaba un explosivo para un asunto puramente familiar.

El conde de Ruvaloff le contempló un momento lleno de sorpresa y luego, viendo que hablaba completamente en serio, escribió una dirección en un pedazo de papel, firmó con sus iniciales y se lo dio a lord Arthur, diciendo:

—Scotland Yard daría cualquier cosa por conocer esa dirección, mi querido amigo.

—No la sabrá —exclamó lord Arthur echándose a reír. Y después de estrechar cordialmente la mano del joven ruso, se precipitó a la escalera y ordenó a su cochero que le llevase a Soho Square.

Una vez allí lo despidió y siguió por Greek Street hasta llegar a una plaza que se llama Bayle's Court. Cruzó un pasaje y se encontró en un curioso callejón sin salida, que parecía ocupado por una lavandería francesa, pues de una casa a otra se extendía toda una red de sogas, cargadas de ropa blanca, que agitaba el aire matinal.

Lord Arthur fue derecho al final de este callejón y llamó en una casita verde. Después de una corta espera, durante la cual todas las ventanas del patio se llenaron de cabezas, abrió la puerta un extranjero, de aspecto bastante hosco, que le preguntó en malísimo inglés qué deseaba. Lord Arthur le tendió el papel que le había dado el conde de Ruvaloff. No bien lo hubo leído, el individuo se inclinó, invitando a lord Arthur a entrar en una habitación reducidísima del piso bajo. Pocos minutos después, Herr Winckelkopf, como le llamaban en Inglaterra, entró apresuradamente en el aposento con una servilleta manchada de vino al cuello y un tenedor en la mano izquierda.

—El conde de Rouvaloff —dijo lord Arthur saludando— me ha dado este papel de presentación para usted y deseo vivamente que me conceda una breve entrevista por una cuestión de negocios. Me llamo Smith... Robert Smith, y necesito que me proporcione usted un reloj explosivo.

—Encantado de recibirle, lord Arthur —replicó el malicioso y pequeño alemán estallando de risa—. No me mire usted con esa cara de asustado. Es deber mío conocer a todo el mundo y recuerdo haberle visto a usted una noche en casa de lady Windermere; espero que su gracia esté bien de salud. ¿Quiere usted acompañarme mientras concluyo de almorzar? Tengo un excelente paté y mis amigos llevan su bondad hasta afirmar que mi vino del Rin es mejor que ninguno de los que pueden beberse en la embajada de Alemania.

Y antes de que lord Arthur hubiese vuelto de su asombro se encontró sentado en la salita del fondo, bebiendo a sorbos un Marcobrünner de los más deliciosos en una copa amarillo pálido, grabada con el monograma imperial, y charlando de la manera más amistosa con el famoso conspirador.

—Los relojes de explosión —dijo Herr Winckelkopf— no son buenos artículos para exportar, ni aun consiguiendo hacerlos pasar por la aduana. El servicio de trenes es tan irregular que, por regla general, estallan antes de llegar a su destino. A pesar de ello, si necesita usted uno de esos aparatos para uso doméstico, puedo proporcionarle un artículo excelente, garantizándole que ha de quedar satisfecho del resultado. ¿Puedo preguntarle para qué fin piensa usted destinarlo? Si es para la policía o para alguien relacionado con Scotland Yard, lo sentiré muchísimo, pero no puedo hacer nada por usted. Los detectives ingleses son realmente nuestros mejores amigos y he comprobado siempre que, teniendo en cuenta su estupidez, podemos hacer todo cuanto se nos antoja. No quisiera tocar ni un pelo de sus cabezas.

—Le aseguro —replicó lord Arthur— que esto no tiene nada que ver con la policía. Para que usted lo sepa: el mecanismo de relojería está destinado al deán de Chichester.

—¡Caramba! No podía yo imaginarme ni por lo más remoto que fuese usted tan exaltado en materia religiosa, lord Arthur. Los jóvenes de hoy no se apasionan por eso.

—Creo que me alaba usted demasiado, Herr Winckelkopf —dijo lord Arthur ruborizándose—. El hecho es que soy un completo ignorante en teología.

—¿Se trata entonces de un asunto meramente personal?

—Exclusivamente personal.

Herr Winckelkopf se encogió de hombros y salió de la habitación. Unos minutos después reaparecía con un cartucho redondo de dinamita, del tamaño de un penique, y un precioso reloj francés, rematado por una figurita en bronce dorado de la Libertad aplastando a la hidra del Despotismo.

La cara de lord Arthur se iluminó de alegría al verlo.

—Esto es precisamente lo que necesito. Y ahora dígame usted cómo estalla.

—¡Ah, ése es mi secreto! —respondió Herr Winckelkopf contemplando su invento con una justa mirada de orgullo—. Dígame usted únicamente cuándo desea que estalle y regularé el mecanismo para el momento indicado.

—Bueno; hoy es martes y si puede usted mandármelo enseguida...

—Imposible. Tengo una infinidad de encargos; entre otros, un trabajo importantísimo para unos amigos de Moscú. Pero, a pesar de todo, se lo mandaré mañana.

—¡Oh! Llegará todavía a tiempo —dijo lord Arthur cortésmente— si queda entregado mañana por la noche o el jueves por la mañana. En cuanto al momento de la explosión, fijémoslo para el viernes a mediodía en punto. A esa hora el deán está siempre en su casa.

—¿El viernes a mediodía? —repitió Herr Winckelkopf.

Y tomó nota en un gran registro abierto sobre una mesa, al lado de la chimenea.

—Y ahora —dijo lord Arthur levantándose— haga el favor de decirme cuánto le debo.

—Muy poca cosa, lord Arthur; se lo voy a poner al precio de coste. La dinamita vale siete chelines con seis peniques; la maquinaria de relojería, tres libras diez chelines, y el porte, unos cinco chelines. Me complace sobremanera poder servir a un amigo del conde de Rouvaloff.

—Pero, ¿y sus molestias, Herr Winckelkopf?

—¡Oh, nada! Tengo un verdadero placer en ello. No trabajo

por el dinero, vivo exclusivamente para mi arte. Lord Arthur puso cuatro libras, dos chelines y seis peniques sobre la mesa, dio las gracias al pequeño alemán por su amabilidad y, rehusando lo mejor que pudo una invitación para entrevistarse con varios conspiradores en un té-merienda el sábado siguiente, salió de casa de Herr Winckelkopf y se fue al parque.

Los dos días siguientes los pasó lord Arthur en un tremendo estado de agitación. Y el viernes, a mediodía, fue al Buckingham en espera de noticias. Durante toda la tarde, el imperturbable conserje de servicio fijó en la tablilla telegramas de todos los lugares del país, con los resultados de las carreras de caballos, las sentencias de divorcio, el estado del tiempo y otras informaciones semejantes, mientras la cinta telegráfica desenrollaba los detalles más aburridos sobre la sesión nocturna de la Cámara de los Comunes y sobre un ligero pánico que hubo en la Bolsa.

A las cuatro llegaron los diarios de la noche y lord Arthur desapareció en el salón de lectura con el *Pall Mall*, el *Saint,James's*,*El Globo* y *El Eco*, ante la gran indignación del coronel Goodchild, que quería leer el extracto de un discurso que había pronunciado aquella mañana en Mansion House[11] sobre las misiones sudafricanas y la conveniencia de tener en cada provincia un obispo negro. Ahora bien: el coronel sentía, no se sabe por qué, una gran animadversión por el *Evening News*.

Ninguno de aquellos periódicos contenía, sin embargo, la menor alusión a Chichester, y lord Arthur comprendió que el atentado había fracasado. Fue para él un terrible golpe y durante algunos minutos permaneció abatidísimo. Herr Winckelkopf, a quien visitó al día siguiente, se deshizo en excusas complicadas, comprometiéndose a proporcionarle otro reloj, que abonaría él, o una caja de bombas de nitroglicerina a precio de coste. Pero lord Arthur no tenía ya ninguna confianza en los explosivos y Herr Winckelkopf reconoció que estaba hoy día todo tan falsificado que era difícil proporcionarse hasta dinamita sin adulterar. Sin embargo, el alemán, aun admitiendo que

11 Residencia official del Lord Mayor de Londres

el mecanismo de relojería podía ser defectuoso en alguna pieza, confiaba todavía en que el resorte del reloj funcionase. Citaba en apoyo de su tesis el caso de un barómetro que enviara una vez al gobernador militar de Odessa, preparado para estallar al décimo día, y que tardó en hacerlo tres meses. También era verdad que cuando estalló no hizo añicos más que a una doncella, pues el gobernador había salido de la ciudad seis semanas antes; pero, al menos, aquello demostraba que la dinamita, regida por un mecanismo de relojería, era un poderoso agente, aunque algo inexacto. Lord Arthur se quedó un poco consolado con aquella reflexión; pero estaba predestinado a sufrir un nuevo desengaño. Dos días después, cuando subía la escalera, la duquesa le llamó a su tocador y le enseñó una carta que acababa de recibir del Deanato.

—Jane me escribe unas cartas encantadoras —le dijo—; lee esta última; es tan interesante como algunas de las novelas que nos manda la biblioteca Mudie.

Lord Arthur tomó la carta de su mano; decía lo siguiente:

Decanato de Chichester

27 mayo

Queridísima tía:

Mil gracias por la franela para la Sociedad Dorcas, así como por la tela. Estoy completamente de acuerdo con usted en estimar absurdo ese afán de lucir cosas llamativas; pero hoy día todo el mundo es tan radical y tan irreligioso, que resulta difícil hacerles ver que no deben adoptar los gustos y la elegancia de la clase alta. ¡Realmente no sé adónde vamos a llegar! Como dice papá a menudo en sus sermones, vivimos en una época de incredulidad.

Hemos tenido un gran escándalo estos días con motivo de un relojito enviado a papá por un admirador desconocido el pasado jueves. Llegó de Londres, con todo ya pagado, en un cajoncito de madera, y papá cree que le ha sido remitido por algún oyente de su notable sermón sobre el tema "¿El libertinaje es la libertad?", pues el reloj está coronado por una figura de mujer con un gorro frigio en la cabeza. Yo no encuentro esto muy correcto, pero papá dice que es histórico y sus razones tendrá. Parker desembaló el objeto y papá lo puso sobre la repisa, en la chimenea de la biblioteca. Estábamos todos sentados en esa habitación el viernes último por la mañana cuando, en el preciso momento en que daba las doce el reloj, oímos como un ruido de alas, salió un poco de humo del pedestal de la figura ¡y la diosa de la Libertad se desprendió, rompiéndose la nariz contra el reborde de la chimenea! Mary se impresionó mucho, pero fue realmente una cosa tan ridícula, que James y yo estuvimos riéndonos un buen rato, y papá mismo se divirtió. Cuando examinamos el reloj vimos que era una especie de despertador y que, poniendo la aguja sobre una hora determinada y colocando pólvora y un fulminante debajo del martillo, se producía el estallido a voluntad. Papá dijo que era un reloj demasiado ruidoso para tenerlo en la biblioteca; así es que Reggie se lo llevó al colegio y allí sigue produciendo pequeñas explosiones durante todo el día. ¿Cree usted que le gustaría a Arthur un regalo de boda así? Supongo que debe de estar muy de moda en Londres. Papá dice que estos relojes sirven para hacer un bien, porque enseñan que la libertad no es duradera y que su reinado acaba en un desmoronamiento. Dice también papá que la libertad fue inventada en tiempos de la Revolución Francesa. ¡Es una cosa atroz!

Voy a ir dentro de un momento a la Sociedad Dorcas y les pienso leer la carta de usted, tan instructiva. ¡Qué cierta es, tía, su idea de que, dada su clase de vida, no debieran llevar lo que no les corresponde ni les sienta bien! Creo realmente que su preocupación por el vestir es absurda habiendo tantas otras graves cosas en que pensar en este mundo y en el futuro. Me alegro mucho de que su popelín floreado sea de tan buen resultado y de que el encaje no se rompa. El miércoles llevaré a casa del obispo el vestido de raso amarillo que tuvo usted la amabilidad de regalarme; creo que hará un gran efecto. ¿Tiene usted moños, tía? Jennings dice que ahora todo el mundo lleva moños, y que las enaguas se usan con volados. Reggie acaba de asistir a una nueva explosión. Papá ha mandado llevar el reloj a la cuadra; me parece que no aprecia este reloj tanto como al principio, aunque le halague mucho haber recibido un regalo tan bonito e ingenioso, pues demuestra que se escuchan sus sermones y que sirven de enseñanza. Papá le envía recuerdos e igualmente James, Reggie y Mary, que esperan que tío Cecil esté mejor de su gota.

Ya sabe usted, querida tía, cuánto la quiere su sobrina

Jane Percy.

P.D.: Cuénteme todo acerca de los moños. Jennings insiste en que están muy de moda.

Lord Arthur contempló la carta con un aire tan serio y triste, que la duquesa se echó a reír.

—¡Mi querido Arthur! —exclamó—, no volveré a enseñarte una carta de muchacha. Pero ¿qué piensas de ese reloj? Me parece un invento verdaderamente curioso y me gustaría tener uno así.

—No me inspiran gran confianza esos relojes —dijo lord Arthur con triste sonrisa.

Y después de besar a su madre, salió de la habitación.

No bien llegó a la suya, se desplomó sobre un sofá con los ojos devastados en lágrimas. Había hecho cuanto podía por cometer el crimen, pero fracasaron sus tentativas dos veces, sin que él tuviese la culpa. Intentó cumplir su deber, pero parecía que el destino le traicionaba. Estaba abrumado por el sentimiento de la esterilidad de sus buenas intenciones, por la inutilidad de sus esfuerzos en un acto honrado. Quizá hubiera valido más romper su compromiso con Sybil. Ella sufriría, eso sí; pero el dolor no podría aniquilar un carácter tan noble como el suyo. En cuanto a él, ¿qué importaba? Siempre hay alguna guerra en la que un hombre puede hacerse matar o una causa por la que puede dar su vida. Y si la vida no tenía sentido para él, la muerte no le aterraba. ¡Que se cumpliese su destino! No haría nada por evitarlo.

Se vistió a las siete y media y marchó al club. Allí estaba Surbiton con un grupo de jóvenes, y lord Arthur se vio obligado a cenar con ellos. Su frívola conversación, sus gestos indolentes no le interesaban y, en cuanto sirvieron el café, les dejó con la disculpa de una cita. Al salir del club, el conserje le entregó una carta. Era de Herr Winckelkopf invitándole a ir a la noche siguiente a ver un paraguas explosivo que estallaba al abrirse, la última moda en tales inventos, que acababa de llegar de Ginebra. Lord Arthur rompió la carta en pedacitos. Estaba decidido a no realizar nuevos experimentos. Vagó luego por los muelles del Támesis y permaneció varias horas sentado a orillas del río. La luna asomó a través de un velo de nubes rojizas, como una pupila de león, e innumerables estrellas salpicaron de lentejuelas el firmamento insondable, como un polvillo dorado extendido sobre la cúpula purpúrea. De cuando en cuando una enorme barcaza se balanceaba sobre el río cenagoso y se deslizaba siguiendo la corriente. Las señales del ferrocarril cambiaban de verdes y se volvían rojas a medida que los trenes atravesaban el puente con estruendo. Al poco rato sonaron las doce con un ruido sordo en la torre de Westminster y la noche pareció vibrar con cada sonora campanada. Después se apagaron las luces de la vía. Sólo una siguió brillando como un gran rubí sobre un poste gigantesco y el rumor de la ciudad fue debilitándose. A las dos, lord Arthur se levantó y se encaminó paseando hacia Blackfriars. ¡Qué irreal!, ¡qué semejante a un extraño sueño le parecía todo! Al otro lado del río las casas parecían surgir de las tinieblas. Se habría dicho que la plata y la oscuridad reconstruían el mundo. La enorme cúpula de St. Paul se dibujaba como un globo en la atmósfera negruzca.

Al acercarse a la Aguja de Cleopatra, lord Arthur divisó a un hombre asomado al parapeto del río y, cuando llegó, la luz del farol, que caía de lleno sobre la cara, le permitió reconocerle.

¡Era míster Podgers, el quiromántico!

El rostro carnoso y arrugado, los anteojos de oro, la sonrisa enfermiza y la boca sensual del quiromántico eran inconfundibles.

Lord Arthur se detuvo. Una idea brillante le iluminó como un relámpago. Se deslizó suavemente hacia míster Podgers y en un segundo le agarró por las piernas y le tiró al Támesis. Se oyó una blasfemia, el ruido de un chapoteo y... nada más. Lord Arthur contempló con ansiedad la superficie del río, pero no pudo ver más que el sombrero del quiromántico, que giraba en un remolino de agua plateada por la luna. Al cabo de unos minutos el sombrero desapareció también y ya no quedó ninguna huella visible de míster Podgers. Hubo un momento en que lord Arthur creyó divisar una silueta gruesa y deforme que se abalanzaba hacia la escalerilla próxima al puente. Pero casi enseguida se agrandó el reflejo de aquella imagen y, cuando volvió a salir la luna, desapareció definitivamente.

Entonces pensó que había cumplido los mandatos del destino. Lanzó un profundo suspiro de alivio y el nombre de Sybil afloró a sus labios.

—¿Se le ha caído a usted algo? —dijo de repente una voz a su espalda.

Giró bruscamente y vio a un policía con su linterna sorda.

—Nada que valga la pena —contestó sonriendo; y tomando un coche que pasaba ordenó al cochero que le llevase a Belgrave Square.

Los días siguientes al del suceso se sintió alegre y esperanzado y preocupado y temeroso alternativamente. Había momentos en que casi esperaba ver entrar a míster Podgers en su cuarto; y, sin embargo, otras veces comprendía que el destino no podía ser tan injusto con él. Fue dos veces a casa del quiromántico, pero no pudo decidirse a tocar el timbre. Deseaba con toda su alma conocer la verdad y al mismo tiempo la temía.

Y al fin la supo. Estaba sentado en el salón de fumadores del club y tomaba el té escuchando, aburrido, a Surbiton, que le cantaba la última canción cómica del Gaiety, cuando el criado trajo los diarios de la noche.

Agarró el *St. James's*, y estaba hojeándolo distraídamente cuando un raro titular atrajo su mirada:

SUICIDIO DE UN QUIROMÁNTICO

Palideció de emoción y empezó a leer, redactado en los siguientes términos:

«Ayer por la mañana, a las siete, fue hallado el cuerpo del célebre quiromántico míster Septimus R. Podgers, el eminente quiromántico, devuelto por el río, en la ribera de Greenwich, frente al hotel Ship. Este infortunado señor desapareció hace unos días y en los centros quirománticos había vivas inquietudes respecto a su paradero. Se supone que se suicidó por influjo de un trastorno momentáneo de sus facultades mentales, provocado por un trabajo excesivo. Así lo ha reconocido unánimemente el dictamen forense emitido esta tarde.

Míster Podgers había concluido un tratado completo sobre la mano humana, que será publicado en breve y ha de suscitar, sin duda alguna, un gran interés. El fallecido tenía sesenta y cinco años y, según parece, no ha dejado familia.»

Lord Arthur salió precipitadamente del club, con el periódico en la mano, ante la gran estupefacción del conserje, que intentó inútilmente detenerle, y se hizo conducir a Park Lane a toda prisa. Sybil, que estaba en la ventana, le vio llegar y algo pareció decirle que traía buenas noticias. Corrió a su encuentro y, al mirarle a la cara, comprendió que todo marchaba bien.

—Mi querida Sybil —exclamó lord Arthur—, ¡casémonos mañana!

—¡Qué loco! ¡Y el pastel de boda sin encargar! —replicó Sybil, riéndose en medio de sus lágrimas.

VI

Cuando se celebró la boda, unas tres semanas después, St. Peter estuvo lleno de una verdadera multitud de personas de la más elevada alcurnia. Ofició de un modo conmovedor el deán de Chichester. Y todos los asistentes estuvieron de acuerdo en reconocer que no habían visto nunca una pareja tan seductora como la que formaban los novios. Eran más que hermosos y, sin embargo, eran felices. No sintió lord Arthur un solo momento lo que había sufrido por amor a Sybil y ella, por su parte, le daba lo mejor que puede ofrendar una mujer a un hombre: respeto, ternura y amor. Para ellos, la realidad no mató su novela romántica. Y conservaron siempre la juventud de sus sentimientos.

Algunos años después, cuando tuvieron dos preciosos niños, lady Windermere fue de visita a Alton Priory, antigua y encantadora finca, regalo de boda del duque a su hijo; y estando sentada una tarde con Sybil, bajo un tilo, en el jardín, contemplando al niño y a la chiquilla, que jugaban correteando por la rosaleda como dos suaves rayos de sol, asió, de pronto, las manos de Sybil y dijo:

—¿Eres feliz, Sybil?

—¡Sí, mi querida lady Windermere; soy feliz! ¿Y usted no lo es?

—No tengo tiempo de serlo, Sybil; me encariño siempre con la última persona que me presentan. Pero generalmente, en cuanto la conozco a fondo, me aburre.

—¿No la entretienen ya sus leones, lady Windermere?

—¡Oh, amiga mía! Los leones no sirven más que para una temporada. En cuanto se corta la melena se convierten en los seres más insufribles del mundo. Además, si se comporta una cariñosamente con ellos, ellos, en cambio, se comportan muy mal con una. ¿Te acuerdas de aquel horrible míster Podgers? Era un inicuo impostor. Como es natural, al principio no lo noté y hasta cuando me pidió dinero se lo di; pero no podía yo soportar que me hiciese la corte. Me ha hecho realmente odiar la quiromancia. Ahora mi pasión es la telepatía. Resulta mucho más divertida.

—Aquí no puede hablarse mal de la quiromancia, lady Windermere. Es el único tema sobre el cual no le gusta a Arthur bromear. Le aseguro a usted que lo toma completamente en serio.

—¿No querrás decirme, Sybil, que tu marido cree en ella?

—Pregúnteselo usted y lo verá, lady Windermere. Aquí viene.

Lord Arthur se acercaba, en efecto, por el jardín, con un gran ramo de rosas amarillas en la mano y sus dos hijos jugueteando a su alrededor.

—¿Lord Arthur?

—Usted dirá, lady Windermere.

—¿No irá usted a decirme que cree en la quiromancia?

—Claro que sí —dijo el joven, sonriendo.

—¿Ah sí? ¿Y por qué?

—Porque le debo toda la dicha de mi vida —murmuró él, arrellanándose en un sillón de mimbre.

—¿Qué le debe usted, mi querido lord Arthur?

—Le debo a Sybil— contestó él, ofreciendo las rosas a su mujer y mirándose en sus ojos violetas.

—¡Qué tontería! —exclamó lady Windermere—. ¡No he oído jamás en mi vida una tontería semejante!

El fantasma de Canterville
Una novela hilo-idealista

I

Cuando el señor Hiram B. Otis, el ministro de Estados Unidos, compró Canterville Chase, todo el mundo le dijo que cometía una gran necedad, porque la propiedad estaba embrujada.

Hasta el mismo lord Canterville, como hombre de la más exacta honradez, se creyó en el deber de mencionárselo al señor Otis cuando llegaron a discutir las condiciones de venta.

—Nosotros mismos —dijo lord Canterville— nos hemos resistido en absoluto a vivir en ese sitio desde la época en que mi tía abuela, la duquesa viuda de Bolton, tuvo un desmayo, del que nunca se repuso por completo, motivado por el espanto que experimentó al sentir que dos manos de esqueleto se posaban sobre sus hombros, mientras se vestía para cenar. Me creo en el deber de decirle, señor Otis, que el fantasma ha sido visto por varios miembros de mi familia, que viven actualmente, así como por el rector de la parroquia, el reverendo Augusto

Dampier, directivo del King College, en Cambridge. Después del trágico accidente ocurrido a la duquesa, ninguna de las doncellas quiso quedarse en casa, y lady Canterville no pudo ya conciliar el sueño, a causa de los ruidos misteriosos que llegaban del corredor y de la biblioteca.

—Milord —respondió el ministro—, adquiriré el inmueble y el fantasma dentro del precio. Llego de un país moderno, en el que podemos tener todo cuanto el dinero es capaz de proporcionar, y esos jóvenes nuestros, activos y avispados, que recorren de parte a parte el viejo continente, que se llevan los mejores actores de ustedes, y sus mejores prima donnas, estoy seguro de que si queda todavía un verdadero fantasma en Europa vendrán a buscarlo enseguida para colocarlo en uno de nuestros museos públicos o para pasearlo por los caminos como un verdadero fenómeno.

—El fantasma existe, me lo temo —dijo lord Canterville, sonriendo—, aunque quizá se resiste a las ofertas de los intrépidos empresarios como ustedes. Hace más de tres siglos que se le conoce. Data, con precisión, de mil quinientos setenta y cuatro, y no deja de mostrarse nunca cuando está a punto de ocurrir alguna defunción en la familia.

¡Bueno! Los médicos de cabecera hacen lo mismo, lord Canterville. Amigo mío, un fantasma no puede existir, y no creo que las leyes de la Naturaleza admitan excepciones en favor de la aristocracia inglesa.

—Realmente son ustedes muy naturales en Estados Unidos —dijo lord Canterville, que no acababa de comprender la última observación del señor Otis—. Ahora bien: si le gusta a usted tener un fantasma en casa, todo está bien. Acuérdese únicamente de que yo lo previne.

Algunas semanas después, la compra quedó concretada, y a fines de estación el ministro y su familia emprendieron el viaje a Canterville.

La señora Otis, que con el nombre de señorita Lucrecia R. Tappan, de West 53 rd Street, había sido una ilustre "beldad" de Nueva York, era todavía una mujer guapísima y elegante, de mediana edad, con unos ojos hermosos y un perfil soberbio.

Muchas damas norteamericanas, cuando abandonan su país natal, adoptan aires de persona atacada de una enfermedad crónica, y se figuran que eso es uno de los rasgos de distinción de Europa; pero la señora Otis no cayó nunca en ese error.

Tenía una naturaleza magnífica y una abundancia extraordinaria de vitalidad.

A decir verdad, era completamente inglesa bajo muchos aspectos, y hubiese podido citársele en buena lid para sostener la tesis de que lo tenemos todo en común con Estados Unidos hoy en día, excepto la lengua, como es de suponer.

Su hijo mayor, bautizado con el nombre de Washington por sus padres, en un momento de patriotismo que él no cesaba de lamentar, era un muchacho rubio, de bastante buena figura, que se había erigido en candidato a la diplomacia norteamericana, dirigiendo a los alemanes al Casino de Newport durante tres temporadas seguidas, y aun en Londres pasaba por ser bailarín excepcional.

Sus únicas debilidades eran las gardenias y la aristocracia; aparte de esto, era perfectamente sensato.

La señorita Virginia E. Otis era una muchachita de quince años, esbelta y graciosa como un cervatillo, con un bonito aire de despreocupación en sus grandes ojos azules.

Era una amazona maravillosa, y sobre su caballito derrotó una vez en carreras al viejo lord Bilton, dando dos veces la vuelta al parque, ganándole por caballo y medio, precisamente frente a la estatua de Aquiles, lo cual provocó un entusiasmo tan delirante en el joven duque de Cheshire, que le propuso matrimonio, y sus tutores tuvieron que enviarlo aquella misma noche a Elton, en medio de un mar de lágrimas.

Después de Virginia venían dos gemelos, conocidos con el nombre de Estrellas y Barras, porque siempre los estaban sacudiendo.

Eran unos niños encantadores, y, con el ministro, los únicos verdaderos republicanos de la familia.

Como Canterville Chase está a siete millas de Ascot, la estación más próxima, el señor Otis telegrafió que fueran a buscarlo en coche descubierto, y emprendieron el recorrido en medio de la mayor alegría. Era una noche encantadora de julio, en que el aire estaba aromado de olor a pinos.

De vez en cuando se oía una paloma arrullándose con su voz más suave y triste en la meditación, o se entrevcía, entre la maraña y el sonido de los helechos, el pecho de oro bruñido de algún faisán.

Ligeras ardillas los espiaban desde lo alto de las hayas; unos conejos corrían apresurados a través de los matorrales o sobre los cerros herbosos, levantando su rabo blanco.

Sin embargo, no bien entraron en la avenida de Canterville Chase, el cielo se cubrió repentinamente de nubes. Un extraño silencio pareció invadir toda la atmósfera, una gran bandada de cuervos cruzó calladamente por encima de sus cabezas, y antes de que llegasen a la casa ya habían caído algunas gotas.

En los escalones se hallaba para recibirlos una vieja, pulcramente vestida de seda negra, con cofia y delantal blancos.

Era la señora Umney, el ama de llaves que la señora Otis, ante los insistentes requerimientos de lady Canterville, accedió a conservar en su puesto.

Hizo una profunda reverencia a la familia cuando llegaron, y dijo, con un singular acento de los buenos tiempos, antiguos y pintorescos:

—Les doy la bienvenida a Canterville Chase.

La siguieron, atravesando un hermoso vestíbulo de estilo Tudor, hasta la biblioteca, largo salón espacioso de techos bajos con paredes revestidas de roble oscuro, que terminaba en un amplio ventanal acristalado, de vidrio coloreado.

Estaba preparado el té.

Luego, una vez que se quitaron los trajes de viaje, se sentaron todos y se pusieron a mirar alrededor, mientras la señora Umney iba de un lado para el otro.

De pronto, la mirada de la señora Otis cayó sobre una mancha de un rojo oscuro que había en el suelo, precisamente al lado de la chimenea y, sin darse cuenta de sus palabras, dijo a la señora Umney:

—Veo que han vertido algo en ese sitio.

—Sí, señora —contestó la señora Umney en voz baja—. Ahí se ha vertido sangre.

—¡Es espantoso! —exclamó la señora Otis—. No quiero manchas de sangre en un salón. Es preciso quitar eso inmediatamente.

La vieja sonrió, y con la misma voz baja y misteriosa respondió:

—Es sangre de lady Leonor de Canterville, que fue muerta en ese mismo sitio por su propio marido, sir Simón de Canterville, en mil quinientos sesenta y cinco. Sir Simón la sobrevivió nueve años, desapareciendo de repente en circunstancias misteriosísimas. Su cuerpo no se encontró nunca, pero su alma culpable sigue embrujando la casa. La mancha de sangre ha sido muy admirada por los turistas y por otras personas, pero quitarla, imposible.

—Todo eso son tonterías —exclamó Washington Otis—. El detergente y quitamanchas marca Campeón Pinkerton hará desaparecer eso en un abrir y cerrar de ojos.

Y antes de que el ama de llaves, aterrada, pudiera intervenir, ya se había arrodillado y frotaba vivamente el entarimado con una barrita de una sustancia parecida a un cosmético negro. A los pocos instantes la mancha había desaparecido sin dejar rastro.

—Ya sabía yo que el quitamanchas detergente Campeón Pinkerton la borraría —exclamó en tono triunfal, paseando una mirada circular sobre su familia, llena de admiración.

Pero apenas había pronunciado esas palabras, un relámpago formidable iluminó la habitación sombría, y el retumbar del trueno sobresaltó a todos, menos a la señora Umney, que se desmayó.

—¡Qué clima más atroz! —dijo tranquilamente el ministro, encendiendo un largo cigarro—. Creo que este país tan viejo está tan lleno de gente, que no hay buen tiempo para todo el mundo. Siempre opiné que lo mejor que pueden hacer los ingleses es emigrar.

—Querido Hiram —replicó la señora Otis—, ¿qué podemos hacer con una mujer que se desmaya?

—Descontaremos eso de su salario. Así no se volverá a desmayar.

La señora Umney no tardó en volver en sí. Sin embargo, se veía que estaba conmovida hondamente, y con voz solemne advirtió a la señora Otis que debía esperarse algún disgusto en la casa.

—Señores, he visto con mis propios ojos algunas cosas capaces de aterrorizar a cualquier cristiano. Y durante noches y noches no he podido cerrar los ojos a causa de los hechos terribles que pasaban.

El señor Otis y su esposa aseguraron vivamente a la buena mujer que no tenían miedo a ninguno de los fantasmas.

La vieja ama de llaves, después de haber invocado la bendición de la Providencia sobre sus nuevos amos y de arreglárselas para que le aumentasen el salario, se retiró a su habitación tambaleando.

II

La tormenta se desencadenó durante toda la noche, pero no produjo nada extraordinario. Al día siguiente, por la mañana, cuando bajaron a almorzar, encontraron de nuevo la terrible mancha sobre el entarimado.

—No creo que tenga la culpa el limpiador Campeón Pinkerton —dijo Washington—, pues lo he ensayado sobre toda clase de manchas. Debe ser el fantasma.

En consecuencia, borró la mancha, después de frotar un poco. Al otro día, por la mañana, había reaparecido. Y, sin embargo, la biblioteca había permanecido cerrada la noche anterior, porque el señor Otis se había llevado la llave escalera arriba. Desde entonces, la familia empezó a interesarse por aquello. El señor Otis se hallaba a punto de creer que había estado demasiado dogmático negando la existencia de los fantasmas. La señora Otis expresó su intención de afiliarse a la Sociedad Psíquica, y Washington preparó una larga carta a los señores Myers y Podmone, basada en la persistencia de las manchas de sangre cuando provienen de un crimen. Aquella noche disipó todas las dudas sobre la existencia objetiva de los fantasmas.

La familia había aprovechado la frescura de la tarde para dar un paseo en coche. Regresaron a las nueve, haciendo una ligera cena. La conversación no recayó ni un momento sobre los fantasmas, de manera que faltaban hasta las condiciones más elementales de espera y de perceptibilidad que preceden tan a menudo a los fenómenos psíquicos. Los asuntos que discutieron, por lo que luego he sabido por la señora Otis, fueron simplemente los habituales en la conversación de los norteamericanos cultos que pertenecen a las clases elevadas, como, por ejemplo, la inmensa superioridad de miss Fanny Davenport sobre Sarah Bernhardt, como actriz; la dificultad para encontrar maíz verde, galletas de trigo sarraceno, aun en las mejores casas inglesas; la importancia de Boston en el desenvolvimiento del alma universal; las ventajas del sistema que consiste en anotar los equipajes de los viajeros, y la dulzura del acento neoyorquino, comparado con el dejo de Londres. No se trató para nada de lo sobrenatural, no se hizo ni la menor alusión a Simón de Canterville. A las once, la familia se retiró. A las doce y media estaban apagadas todas las luces. Poco después, el señor Otis se despertó con un ruido singular en el corredor, fuera de su habitación. Parecía un ruido de hierros viejos, que se acercaba cada vez más. Se levantó en el acto, encendió la luz y miró la hora. Era la una en punto. El señor Otis estaba perfectamente tranquilo. Se tomó el pulso y no lo encontró nada alterado. El ruido extraño continuaba, al mismo tiempo que se oía claramente el sonar de unos pasos. El señor Otis se puso las zapatillas, tomó un frasquito alargado de su tocador y abrió la puerta. Y vio frente a él, en el pálido claro de luna, a un viejo de aspecto terrible. Sus ojos parecían carbones encendidos. Una larga cabellera gris caía en mechones revueltos sobre sus hombros. Sus ropas, de corte anticuado, estaban manchadas y en jirones. De sus muñecas y de sus tobillos colgaban unas pesadas cadenas y unos grilletes herrumbrosos.

—Mi distinguido señor —dijo el señor Otis—, permítame que le ruegue vivamente que engrase esas cadenas. Le he traído para ello una botella de Engrasador Tammany[12] Sol Naciente. Dicen que una sola untura es eficacísima, y en la etiqueta hay varios certificados de nuestros agoreros nativos más ilustres que dan fe de ello. Voy a dejársela aquí, al lado de las mecedoras, y tendré un verdadero placer en proporcionarle más, si así lo desea.

El ministro de los Estados Unidos dejó el frasquito sobre una mesa de mármol, cerró la puerta y se volvió a meter en la cama.

El fantasma de Canterville permaneció inmóvil de indignación. Después tiró, lleno de rabia, el frasquito contra el suelo encerado y huyó por el corredor, lanzando gruñidos cavernosos y despidiendo una extraña luz verde. Sin embargo, cuando llegaba a la gran escalera de roble, se abrió de repente una puerta. Aparecieron dos siluetas infantiles, vestidas de blanco, y una voluminosa almohada le rozó la cabeza. Evidentemente, no había tiempo que perder; así es que, utilizando como medio de fuga la cuarta dimensión del espacio, se desvaneció a través del estuco, y la casa recobró su tranquilidad.

Cuando llegó a un cuartito secreto del ala izquierda, se acercó a un rayo de luna para tomar aliento, y se puso a reflexionar para darse cuenta de su situación. Jamás en toda su brillante carrera, que duraba ya trescientos años seguidos, fue injuriado tan groseramente. Se acordó de la duquesa viuda, en quien provocó una crisis de terror mientras estaba mirándose al espejo, cubierta de brillantes y de encajes; de las cuatro doncellas a quienes había enloquecido, produciéndoles convulsiones histéricas, sólo con hacerles visajes entre las cortinas de una de las habitacio-

12 Tammany Hall fue una ponderosa organización en los Estados Unidos, dentro del Partido Demócrata, vinculada con la corrupción.

nes destinadas a invitados; del rector de la parroquia, cuya vela apagó de un soplo cuando volvía el buen señor de la biblioteca a una hora avanzada, y que desde entonces se convirtió en mártir de toda clase de alteraciones nerviosas; de la vieja señora de Tremouillac, que, al despertarse a medianoche, lo vio sentado en un sillón, al lado de la lumbre, en forma de esqueleto, entretenido en leer el diario que redactaba ella de su vida, y que ante semejante impresión tuvo que guardar cama durante seis meses, víctima de un ataque cerebral. Una vez curada se reconcilió con la iglesia y rompió toda clase de relaciones con el señalado escéptico monsieur de Voltaire. Recordó igualmente la noche terrible en que el bribón de lord Canterville fue hallado agonizante en su tocador, con un jack de diamantes hundida en la garganta, viéndose obligado a confesar que por medio de aquella carta había robado la suma de cincuenta mil libras a Charles James Fox, en casa de Crockford. Y juraba que aquella carta se la hizo tragar el fantasma. Todas sus grandes hazañas le volvían a la mente. Vio desfilar al mayordomo que se levantó la tapa de los sesos por haber visto una mano verde tamborilear sobre los cristales, y la bella lady Steefield, condenada a llevar alrededor del cuello un collar de terciopelo negro para tapar la señal de cinco dedos, impresos como un hierro candente sobre su blanca piel, y que terminó por ahogarse en el estanque que había al final del Paseo del Rey. Y, lleno del entusiasmo ególatra del verdadero artista, recordó sus creaciones más célebres. Se dedicó una amarga sonrisa al evocar su última aparición en el papel de Rubén el Rojo, o la Criatura Estrangulada, su debut en el Gibeon, el Vampiro Flaco del Páramo de Bexley, y el furor que causó una tarde encantadora de junio sólo con jugar a los bolos con sus propios huesos en la cancha de tenis. ¿Y todo para qué? ¡Para que unos miserables norteamericanos le ofreciesen el engrasador marca Sol Naciente y le tirasen almohadas a la cabeza! Era realmente intolerable. Además, la historia nos enseña que jamás fue tratado ningún fantasma de aquella manera. Llegó a la conclusión de que era preciso vengarse, y permaneció hasta el amanecer meditando.

III

Cuando a la mañana siguiente el almuerzo reunió a la familia Otis, se discutió extensamente acerca del fantasma. El ministro de los Estados Unidos estaba, como era natural, un poco ofendido viendo que su ofrecimiento no había sido aceptado.

—No quisiera en modo alguno injuriar personalmente al fantasma —dijo—, y reconozco que, dada la larga duración de su estancia en la casa, no era nada cortés tirarle una almohada a la cabeza.

Siento tener que decir que esta observación tan justa provocó una explosión de risa en los gemelos.

—Pero, por otro lado —prosiguió el señor Otis—, si se empeña en no hacer uso del engrasador marca Sol Naciente, nos veremos precisados a quitarle las cadenas. No habría manera de dormir con todo ese ruido afuera de los dormitorios.

Pero, sin embargo, en el resto de la semana no fueron molestados. Lo único que les llamó la atención fue la reaparición continua de la mancha de sangre sobre el parqué de la biblioteca. Era realmente muy extraño, el señor Otis cerraba la puerta con llave por la noche, igual que las ventanas. Los cambios de color que sufría la mancha, comparables a los de un camaleón, produjeron asimismo frecuentes comentarios en la familia. Una mañana era de un rojo oscuro, casi violáceo; otras veces era bermellón; luego, de un púrpura espléndido, y un día, cuando bajaron a rezar, según los ritos sencillos de la Libre Iglesia Episcopal Reformada de Norteamérica, la encontraron de un hermoso verde esmeralda. Como era natural, estos cambios caleidoscópicos divirtieron grandemente a la reunión y se hacían apuestas todas las noches con entera tranquilidad. La única persona que no tomó parte en la broma fue la joven Virginia. Por razones ignoradas, sentíase siempre impresionada ante la mancha de sangre, y estuvo a punto de llorar la mañana que apareció verde esmeralda.

El fantasma hizo su segunda aparición el domingo por la noche. Al rato de estar todos ellos acostados, les alarmó un enorme estrépito que se oyó en el salón. Bajaron apresuradamente, y se encontraron con que una armadura completa se había desprendido de su soporte y caído sobre las losas. Cerca de allí, sentado en un sillón de alto respaldo, el fantasma de Canterville se restregaba las rodillas, con una expresión de agudo dolor sobre su rostro. Los gemelos, que se habían provisto de sus cerbatanas, le lanzaron inmediatamente dos balines, con esa seguridad de puntería que sólo se adquiere a fuerza de largos y pacientes ejercicios sobre el profesor de caligrafía. Mientras tanto, el ministro de los Estados Unidos mantenía al fantasma bajo la amenaza de su revólver, y, conforme a la etiqueta californiana, lo instaba a levantar los brazos. El fantasma se alzó bruscamente, lanzando un grito de furor salvaje, y se disipó en medio de ellos, como una niebla, apagando de paso la vela de Washington Otis y dejándolos a todos en la mayor oscuridad. Cuando llegó a lo alto de la escalera, se decidió a lanzar su célebre repique de carcajadas satánicas, que en más de una ocasión le habían sido muy útiles. Contaba la gente que aquello hizo encanecer en una sola noche el peluquín de lord Raker. Y que tres sucesivas amas de llaves renunciaron antes de terminar el primer mes en su cargo. Así, lanzó su carcajada más horrible, despertando paulatinamente los ecos en las antiguas bóvedas; pero, apagados éstos, se abrió una puerta y apareció, vestida de azul claro, la señora Otis.

—Me temo —dijo la dama— que esté usted indispuesto, y aquí le traigo un frasco de la tintura del doctor Dobell. Si se trata de una indigestión, esto le sentará bien.

El fantasma la miró con ojos llameantes de furor y se creyó en el deber de metamorfosearse en un gran perro negro. Era un truco que le había dado una reputación merecidísima, y al cual atribuía la idiotez incurable del tío de lord Canterville, el honorable Thomas Horton. Pero un ruido de pasos que se acercaban le hizo vacilar en su cruel determinación, y se contentó con volverse un poco fosforescente. Enseguida se desvaneció, después de lanzar un gemido sepulcral, porque los gemelos iban a darle alcance.

Una vez en su habitación se sintió destrozado, presa de la agitación más violenta. La ordinariez de los gemelos, el grosero materialismo de la señora Otis, todo aquello resultaba realmente vejatorio; pero lo que más lo humillaba era no tener ya fuerzas para llevar una armadura. Confiaba en impresionar aun en esos norteamericanos modernos, con hacerles estremecer a la vista de un espectro acorazado, ya que no por motivos razonables, al menos por deferencia hacia su poeta nacional Longfellow, cuyas poesías, delicadas y atrayentes, le habían ayudado con frecuencia a matar el tiempo, mientras los Canterville estaban en Londres. Además, era su propia armadura. La llevó con éxito en el torneo de Kenilworth, siendo felicitado calurosamente por la Reina Virgen en persona. Pero cuando quiso ponérsela quedó aplastado por completo por el peso de la enorme coraza y del yelmo de acero. Y se desplomó pesadamente sobre las losas de piedra, raspándose las rodillas y magullándose la muñeca derecha.

Durante varios días estuvo enfermo y no pudo salir de su morada más que lo necesario para mantener en buen estado la mancha de sangre. Gracias a los permanentes cuidados acabó por restablecerse y decidió hacer una tercera tentativa para aterrorizar al ministro de los Estados Unidos y a su familia. Eligió para su reaparición en escena el viernes 17 de agosto, consagrando gran parte del día a revisar sus trajes. Su elección recayó al fin en un sombrero de ala levantada por un lado y caída del otro, con una pluma roja; en un sudario deshilachado por las mangas y el cuello y, por último, en un puñal mohoso. Al atardecer estalló una gran tormenta. El viento era tan fuerte que sacudía y cerraba violentamente las puertas y ventanas de la vetusta casa. Realmente aquél era el tiempo que le convenía. He aquí lo que pensaba hacer: Iría sigilosamente a la habitación de Washington Otis, le susurraría unas frases ininteligibles, quedándose al pie de la cama, y le hundiría tres veces seguidas el puñal en la garganta, al compás de una música apagada. Odiaba sobre todo a Washington, porque sabía perfectamente que era él quien acostumbraba quitar la famosa mancha de sangre de Canterville, empleando el limpiador incomparable de Pinkerton. Después de reducir al temerario y despreocupado joven a un estado de abyecto terror, entraría en la habitación que ocupaba el ministro de los Estados Unidos y su mujer. Una vez allí, colocaría una mano viscosa sobre la frente de la señora Otis, y al mismo tiempo murmuraría, con voz sorda, al oído del ministro tembloroso, los secretos terribles del osario. En cuanto a la pequeña Virginia, aún no tenía decidido nada. No lo había insultado nunca. Era bonita y cariñosa. Unos cuantos gruñidos sordos, que saliesen del armario, le parecían más que suficientes, y si no bastaban para despertarla, llegaría hasta tirarle de la puntita de la nariz con sus dedos rígidos por la parálisis. A los gemelos estaba resuelto a darles una lección: lo primero que haría sería sentarse sobre sus pechos, con el objeto de producirles la sensación de pesadilla. Luego, aprovechando que sus camas estaban muy juntas, se alzaría en el espacio libre entre ellas, con el aspecto de un cadáver verde y frío como el hielo, hasta que se quedaran paralizados de terror. Enseguida, tirando bruscamente su mortaja, daría la vuelta al dormitorio con sus blancos huesos resecos, como un esqueleto blanqueado por el tiempo, moviendo los ojos de sus órbitas, en su creación de Daniel el Mudo o el Esqueleto del Suicida, papel que había producido gran efecto en varias ocasiones. Creía estar tan bien en éste como en su otro papel de Martín el Demente o el Misterio Enmascarado.

A las diez y media oyó subir a la familia a acostarse. Durante algunos instantes lo inquietaron las tumultuosas carcajadas de los gemelos, que se divertían evidentemente, con su loca alegría de colegiales, antes de meterse en la cama. Pero a las once y cuarto todo quedó nuevamente en silencio, y cuando sonaron las doce se puso en camino. La lechuza chocaba contra los cristales de la ventana. El cuervo crascitaba en el hueco de un tejo centenario y el viento gemía vagando alrededor de la casa, como un alma en pena; pero la familia Otis dormía, sin sospechar la suerte que le esperaba. Oía con toda claridad los ronquidos regulares del ministro de los Estados Unidos, que dominaban el ruido de la lluvia y de la tormenta. Se deslizó furtivamente a través del estuco. Una sonrisa perversa se dibujaba sobre su boca cruel y arrugada, y la luna escondió su rostro tras una nube cuando pasó delante de la gran ventana ojival, sobre la que estaban representadas, en azul y oro, sus propias armas y las de su esposa asesinada. Seguía andando siempre, deslizándose como una sombra funesta, que parecía hacer retroceder de espanto a las mismas tinieblas en su camino. En un momento le pareció oír que alguien lo llamaba: se detuvo, pero era tan sólo un perro, que ladraba en la Granja Roja. Prosiguió su marcha, refunfuñando extraños juramentos del siglo XVI, y blandiendo de cuando en cuando el puñal enmohecido en el aire de medianoche. Por fin llegó a la esquina del pasillo que conducía a la habitación de Washington. Allí se detuvo un instante. El viento agitaba en torno de su cabeza sus largos mechones grises y ceñía en pliegues grotescos y fantásticos el horror indecible del fúnebre sudario. Sonó entonces el reloj. Comprendió que había llegado el momento. Se dedicó una risotada y dio la vuelta a la esquina. Pero apenas lo hizo retrocedió, lanzando un gemido lastimero de terror y escondiendo su cara lívida entre sus largas manos huesosas. Frente a él había un horrible espectro, inmóvil como una estatua, monstruoso como la pesadilla de un loco. La cabeza del espectro era pelada y reluciente; su faz, redonda, carnosa y blanca; una risa horrorosa parecía retorcer sus rasgos en una mueca eterna; por los ojos brotaba a oleadas una luz escarlata, la boca tenía el aspecto de un ancho pozo de fuego, y una vestidura horrible, como la de él, como la del mismo Simón, envolvía con su nieve silenciosa aquella forma gigantesca. Sobre el pecho tenía colgado un cartel con una inscripción en caracteres extraños y antiguos. Quizá era un rótulo infamante, donde estaban escritos delitos espantosos, una terrible lista de crímenes. Tenía, por último, en su mano derecha una cimitarra de acero resplandeciente.

Como nunca antes había visto fantasmas, naturalmente sintió un pánico terrible, y, después de lanzar a toda prisa una segunda mirada sobre el monstruo atroz, regresó a su habitación, tropezando en el sudario que le envolvía. Cruzó la galería corriendo, y acabó por dejar caer el puñal enmohecido en las botas de montar del ministro, donde lo encontró el mayordomo al día siguiente. Se desplomó sobre un reducido catre de tijera, tapándose la cabeza con las sábanas. Pero, al cabo de un momento, el valor indomable de los antiguos Canterville se despertó en él y tomó la resolución de hablar al otro fantasma en cuanto amaneciese. Por consiguiente, no bien el alba plateó las colinas, volvió al sitio en que había visto por primera vez al horroroso fantasma. Pensaba que, después de todo, dos fantasmas valían más que uno solo, y que con ayuda de su nuevo amigo podría contender victoriosamente con los gemelos. Pero cuando llegó al sitio se halló en presencia de un espectáculo terrible. Le sucedía algo indudablemente al espectro, porque la luz había desaparecido por completo de sus órbitas. La cimitarra centelleante se había caído de su mano y estaba recostado sobre la pared en una actitud forzada e incómoda. Simón se precipitó hacia delante y lo aferró entre sus brazos; pero para su horror vio despegársele la cabeza y rodar por el suelo, mientras el cuerpo tomaba la posición horizontal, y notó que abrazaba una cortina blanca de lienzo grueso y que yacían a sus pies una escoba, un machete de cocina y una calabaza vacía. Sin poder comprender aquella curiosa transformación, agarró con mano febril el cartel, leyendo a la claridad grisácea de la mañana estas palabras terribles:

He aquí al fantasma Otis
El único espíritu auténtico y verdadero
Desconfíen de las imitaciones
Todos los demás son falsificaciones

Y la entera verdad se le apareció como un relámpago. ¡Había sido burlado, chasqueado, engañado! La expresión característica de los Canterville reapareció en sus ojos, apretó las mandíbulas desdentadas y, levantando por encima de su cabeza sus manos amarillas, juró, según el ritual pintoresco de la antigua escuela, que cuando el gallo cantara dos veces se consumarían sangrientas hazañas, y el crimen, de pies silenciosos, saldría de su retiro.

No había terminado de formular este juramento terrible, cuando de una alquería lejana, de tejado de ladrillo rojo, salió el canto de un gallo. Lanzó una larga risotada, lenta y amarga, y esperó. Esperó una hora, y después otra; pero por alguna razón misteriosa no volvió a cantar el gallo. Finalmente, a eso de las siete y media, la llegada de las criadas lo obligó a abandonar su terrible espera y regresó a su morada, con altivo paso, pensando en su juramento vano y en su vano proyecto fracasado. Una vez allí consultó varios libros de caballería, cuya lectura le interesaba extraordinariamente, y pudo comprobar que el gallo cantó siempre dos veces en cuantas ocasiones se recurrió a aquel juramento.

—¡Que el diablo y la perdición se lleven a ese animal desobediente! —murmuró—. ¡En otro tiempo hubiese caído sobre él con mi buena lanza, atravesándole el cuello y obligándolo a cantar para mí, aunque reventara!

Y dicho esto se retiró a su confortable ataúd de plomo, y allí permaneció hasta la noche.

IV

Al día siguiente el fantasma se sintió muy débil y cansado. Las terribles emociones de las cuatro últimas semanas empezaban a producir su efecto. Tenía el sistema nervioso completamente alterado, y temblaba al más ligero ruido. No salió de su habitación en cinco días, y concluyó por hacer una concesión en lo relativo a la mancha de sangre del parqué de la biblioteca. Puesto que la familia Otis no quería verla, era indudable que no la merecía. Aquella gente estaba en un plano inferior de vida material y era incapaz de apreciar el valor simbólico de los fenómenos sensibles. La cuestión de las apariciones de fantasmas y el desenvolvimiento de los cuerpos astrales era realmente para ellos cosa desconocida e indiscutiblemente fuera de su alcance. Pero, por lo menos, constituía para él un deber ineludible mostrarse en el corredor una vez a la semana y susurrar por la gran ventana ojival el primero y el tercer miércoles de cada mes. No veía ningún medio digno de sustraerse a aquella obligación. Verdad es que su vida fue muy criminal; pero, quitado eso, era hombre muy concienzudo en todo cuanto se relacionaba con lo sobrenatural. Así, pues, los tres sábados siguientes atravesó, como de costumbre, el corredor entre doce de la noche y tres de la madrugada, tomando todas las precauciones posibles para no ser visto ni oído. Se quitaba las botas, pisaba lo más ligeramente que podía sobre las viejas maderas carcomidas, se envolvía en una gran capa de terciopelo negro, y no dejaba de usar el engrasador Sol Naciente para sus cadenas. Me veo precisado a reconocer que sólo después de muchas vacilaciones se decidió a adoptar este último medio de protección. Pero, finalmente, una noche, mientras cenaba la familia, se deslizó en el dormitorio de la señora Otis y se llevó el frasquito. Al principio se sintió un poco humillado, pero después fue suficientemente razonable para comprender que aquel invento merecía grandes elogios y cooperaba, en cierto modo, a la realización de sus proyectos. A pesar de todo, no se vio libre de problemas. No dejaban nunca de tenderle cuerdas de lado a lado del corredor para hacerlo tropezar en la oscuridad, y una vez que se había disfrazado para el papel de Isaac el Negro o el Cazador del bosque de Hogley Woods, cayó cuan largo era al poner el pie sobre una pista de maderas enjabonadas que habían colocado los gemelos desde el umbral de la Sala de los Tapices hasta la parte alta de la escalera de roble. Esta última afrenta le dio tal rabia, que decidió hacer un esfuerzo para imponer su dignidad y consolidar su posición social, y formó el proyecto de visitar a la noche siguiente a los insolentes chicos de Eton, en su célebre papel de Ruperto el Temerario, o el Conde sin cabeza.

No se había mostrado con aquel disfraz desde hacía sesenta años, es decir, desde que causó con él tal pánico a la bella lady Bárbara Modish, que ésta retiró su consentimiento al abuelo de actual lord Canterville y se fugó a Gretna Green con el arrogante Jack Castleton, jurando que por nada del mundo consentiría en emparentar con una familia que toleraba los paseos de un fantasma tan horrible por la terraza, al atardecer. El pobre Jack fue al poco tiempo muerto en duelo por lord Canterville en la pradera de Wandsworth, y lady Bárbara murió de pena en Tunbridge Wells antes de terminar el año; así es que fue un gran éxito en todos los sentidos. Sin embargo, era, permitiéndome emplear un término de argot teatral para aplicarlo a uno de los mayores misterios del mundo sobrenatural (o en lenguaje más científico), "del mundo superior a la Naturaleza", era, repito, una creación de las más difíciles, y necesitó sus tres buenas horas para terminar los preparativos. Por fin, todo estuvo listo, y él contentísimo de su disfraz. Las grandes botas de montar, que hacían juego con el traje, eran, eso sí, un poco holgadas para él, y no pudo encontrar más que una de las dos pistolas del arzón; pero, en general, quedó muy contento, y a la una y cuarto pasó a través del estuco y bajó al corredor. Cuando estuvo cerca de la habitación ocupada por los gemelos, a la que llamaré el dormitorio azul, por el color de sus cortinajes, se encontró con la puerta entreabierta. Con la intención de hacer una entrada sensacional, la empujó con violencia, pero se le vino encima una jarra de agua que le empapó hasta los huesos, no dándole en el hombro por unos milímetros. Al mismo tiempo oyó unas risas sofocadas que partían de la doble cama con dosel. Su sistema nervioso sufrió tal conmoción, que regresó a sus habitaciones, y al día siguiente tuvo que permanecer en cama con un fuerte reuma. El único consuelo que tuvo fue el de no haber llevado su cabeza sobre los hombros, pues las consecuencias hubieran podido ser más graves.

Desde entonces renunció para siempre a espantar a aquella recia familia de norteamericanos, y se limitó a vagar por el corredor, con zapatillas de orillo, envuelto el cuello en una gruesa bufanda, por temor a las corrientes de aire, y provisto de un pequeño arcabuz, para el caso en que fuese atacado por los gemelos. Hacia el 19 de septiembre fue cuando recibió el golpe de gracia. Había bajado por la escalera hasta el espacioso salón, seguro de que en aquel sitio por lo menos estaba a cubierto de jugarretas, y se entretenía en hacer observaciones satíricas sobre las grandes fotografías del ministro de los Estados Unidos y de su mujer, hechas en casa de Sarow. Iba vestido sencilla pero decentemente, con un largo sudario salpicado de moho de cementerio. Se había atado la quijada con una tira de tela y llevaba una linternita y azadón de sepulturero. En una palabra, iba disfrazado de Jonás el Desenterrador, o el Ladrón de Cadáveres de Cherstey Barn. Era una de sus creaciones más notables y de las que guardaban recuerdo, con más motivo, los Canterville, ya que fue la verdadera causa de su riña con lord Rufford, vecino suyo. Serían próximamente las dos y cuarto de la madrugada y, a su juicio, no se movía nadie en la casa. Pero cuando se dirigía tranquilamente en dirección a la biblioteca, para ver lo que quedaba de la mancha de sangre, se abalanzaron hacia él, desde un rincón sombrío, dos siluetas, agitando locamente sus brazos sobre sus cabezas, mientras gritaban a su oído:

—¡BUU!

Lleno de pánico, cosa muy natural en aquellas circunstancias, se precipitó hacia la escalera, pero entonces se encontró frente a Washington Otis, que lo esperaba armado con la regadera del jardín; de tal modo que, cercado por sus enemigos, casi acorralado, tuvo que evaporarse en la gran estufa de hierro colado, que, afortunadamente para él, no estaba encendida, y abrirse paso hasta sus habitaciones por entre tubos y chimeneas, llegando a su refugio en el tremendo estado en que lo pusieron la agitación, el hollín y la desesperación.

Desde aquella noche no volvió a vérsele nunca de expedición nocturna. Los gemelos se quedaron muchas veces en acecho para sorprenderlo, sembrando de cáscara de nuez los corredores todas las noches, con gran molestia de sus padres y criados. Pero fue inútil. Su amor propio estaba profundamente herido, sin duda, y no quería mostrarse. En vista de ello, el señor Otis se puso a trabajar en su gran obra sobre la historia del Partido Demócrata, obra que había empezado tres años antes. La señora

Otis organizó una extraordinaria horneada de almejas, de la que se habló en toda la comarca. Los niños se dedicaron a jugar al monte, al ecarté, al póquer y a otras diversiones nacionales de Estados Unidos. Virginia dio paseos a caballo por los senderos, en compañía del joven duque de Cheshire, que se hallaba en Canterville pasando su última semana de vacaciones. Todo el mundo se figuraba que el fantasma había desaparecido, hasta el punto de que el señor Otis escribió una carta a lord Canterville para comunicárselo, y recibió en contestación otra carta en la que éste le testimoniaba el placer que le producía la noticia y enviaba sus más sinceras felicitaciones a la digna esposa del ministro.

Pero los Otis se equivocaban. El fantasma seguía en la casa, y, aunque se hallaba muy delicado, no estaba dispuesto a retirarse, sobre todo después de saber que figuraba entre los invitados el duquecito de Cheshire, cuyo tío, lord Francis Stilton, apostó una vez con el coronel Carbury a que jugaría a los dados con el fantasma de Canterville. A la mañana siguiente encontraron a lord Stilton tendido sobre el suelo del salón de juego en un estado de parálisis tal que, a pesar de la edad avanzada, no pudo ya nunca pronunciar más palabras que éstas:

—¡Doble seis!

Esta historia era muy conocida en un tiempo, aunque, en atención a los sentimientos de dos familias nobles, se hiciera todo lo posible por ocultarla, y existe un relato detallado de todo lo referente a ella en el tomo tercero de las *Memorias* de lord Tattle sobre el príncipe Regente y sus amigos. Desde entonces, el fantasma deseaba vivamente probar que no había perdido su influencia sobre los Stilton, con los que además estaba emparentado por matrimonio, pues una prima suya se casó en *secondes noces* con el señor Bulkeley[13], del que descienden en línea directa, como todo el mundo sabe, los duques de Cheshire. Por consiguiente, hizo sus preparativos para mostrarse al pequeño enamorado de Virginia en su famoso papel de Fraile vampiro,

13 En segundas nupcias. En francés en el original.

o el benedictino desangrado. Era un espectáculo espantoso, que cuando la anciana lady Startup se lo vio representar, es decir en víspera del Año Nuevo de 1764, empezó a lanzar gritos agudos, que tuvieron por resultado un fuerte ataque de apoplejía y su fallecimiento al cabo de tres días, no sin que desheredara antes a los Canterville y legase todo su dinero a su farmacéutico en Londres. Pero, a última hora, el terror que le inspiraban los gemelos lo retuvo en su habitación, y el joven duque durmió tranquilo en el gran lecho con dosel coronado de plumas del dormitorio real, soñando con Virginia.

V

Virginia y su amado de cabello rizado dieron, unos días después, un paseo a caballo por los prados de Brockley, paseo en el que ella desgarró su vestido de amazona al saltar un seto, de tal manera que, de vuelta a su casa, entró por la escalera de atrás para que no la viesen. Al pasar corriendo por delante de la puerta de la Sala de los Tapices, que estaba abierta de par en par, le pareció ver a alguien dentro. Pensó que sería la mucama de su madre, que iba con frecuencia a trabajar a esa habitación. Asomó la cabeza para encargarle que le cosiese el vestido. ¡Pero, con gran sorpresa suya, quien allí estaba era el fantasma de Canterville en persona! Se había acomodado ante la ventana, contemplando el oro llameante de los árboles amarillentos que revoloteaban por el aire, las hojas enrojecidas que bailaban locamente a lo largo del camino. Tenía la cabeza apoyada en una mano, y toda su actitud revelaba el desaliento más profundo. Realmente presentaba un aspecto tan abrumado, tan abatido, que la pequeña Virginia, en vez de ceder a su primer impulso, que fue echar a correr y encerrarse en su cuarto, se sintió llena de compasión y fue a consolarlo. Tenía la muchacha un paso tan ligero y él una melancolía tan honda, que no se dio cuenta de su presencia hasta que le habló.

—Lo he sentido mucho por usted —dijo—, pero mis hermanos regresan mañana a Eton, y entonces, si se porta usted bien, nadie lo atormentará.

—Es inconcebible pedirme que me porte bien —le respondió, contemplando estupefacto a la jovencita que tenía la audacia de dirigirle la palabra—. Perfectamente inconcebible. Es necesario que yo sacuda mis cadenas, que gruña por los agujeros de las cerraduras y que corretee de noche. ¿Eso es lo que usted llama portarse mal? No tengo otra razón de ser.

—Esa no es una razón de ser. En sus tiempos fue usted muy malo ¿sabe? La señora Umney nos dijo el día que llegamos que usted mató a su esposa.

—Sí, lo reconozco —respondió incautamente el fantasma—. Pero era un asunto de familia y nadie tenía que meterse.

—Está muy mal matar a nadie —dijo Virginia, que a veces adoptaba un bonito gesto de gravedad puritana, heredado quizás de algún antepasado venido de Nueva Inglaterra.

—¡Oh, no puedo sufrir la severidad barata de la moral abstracta! Mi mujer era feísima. No almidonaba nunca lo bastante mis puños y no sabía nada de cocina. Mire usted: un día había yo cazado un soberbio ciervo en los bosques de Hogley Woods, un hermoso macho de dos años. ¡Pues no puede usted imaginarse cómo me lo sirvió! Pero, en fin, dejemos eso. Es asunto terminado, y no encuentro nada bien que sus hermanos me dejasen morir de hambre, aunque yo la matase.

—¡Que lo dejaran morir de hambre! ¡Oh señor fantasma...! Sir Simón, quiero decir, ¿es que tiene usted hambre? Hay un sándwich en mi costurero. ¿Le gustaría?

—No, gracias, ahora ya no como; pero, de todos modos, lo encuentro amabilísimo por su parte. ¡Es usted bastante más atenta que el resto de su horrible, arisca, ordinaria y ladrona familia!

—¡Basta! —exclamó Virginia, dando con el pie en el suelo. El arisco, el horrible y el ordinario es usted. En cuanto a lo de ladrón, bien sabe usted que me ha robado mis colores de la caja de pinturas para restaurar esa ridícula mancha de sangre en la biblioteca. Empezó usted por agarrar todos mis rojos, incluso el bermellón, imposibilitándome para pintar puestas de sol. Después agarró usted el verde esmeralda y el amarillo cromo. Y, finalmente, sólo me queda el añil y el blanco. Así es que ahora no puedo hacer más que claros de luna, que da desagrado ver, e incomodísimos, además, de colorear. Y no le he acusado, aun estando fastidiada y a pesar de que todas esas cosas son completamente ridículas. ¿Se ha visto alguna vez sangre color verde esmeralda...?

—Vamos a ver —dijo el fantasma, con cierta dulzura—: ¿y qué iba yo a hacer? Es dificilísimo en los tiempos actuales obtener sangre de verdad, y ya que su hermano empezó con su quitamanchas incomparable, no veo por qué no iba yo a emplear los colores de usted para resistir. En cuanto al tono, es cuestión de gusto. Así, por ejemplo, los Canterville tienen sangre azul, la sangre más azul que existe en Inglaterra... Aunque ya sé que ustedes los norteamericanos no hacen el menor caso de esas cosas.

—No sabe usted nada, y lo mejor que puede hacer es emigrar, y así se formará idea de algo. Mi padre tendrá un verdadero gusto en proporcionarle un pasaje gratuito, y aunque haya fuertes impuestos sobre los espíritus, no le pondrán dificultades en la Aduana. Y una vez en Nueva York, puede usted contar con un gran éxito. Conozco infinidad de personas que darían cien mil dólares por tener antepasados y que sacrificarían mayor cantidad aún por tener un fantasma para la familia.

—Creo que no me divertiría mucho en Estados Unidos.

—Quizás se deba a que allí no tenemos ni ruinas ni curiosidades —dijo burlonamente Virginia.

—¡Qué curiosidades ni qué ruinas! —contestó el fantasma—. Tienen ustedes su Marina y sus modales.

—Buenas noches; voy a pedir a papá que conceda a los gemelos una semana más de vacaciones.

—¡No se vaya, señorita Virginia, se lo suplico! —exclamó el fantasma—. Estoy tan solo y soy tan desgraciado, que no sé qué hacer. Quisiera ir a acostarme y no puedo.

—Pues es inconcebible: no tiene usted más que meterse en la cama y apagar la luz. Algunas veces es dificilísimo permanecer despierto, sobre todo en una iglesia, pero, en cambio, dormir es muy sencillo. Ya ve usted: los gemelos saben dormir admirablemente, y no son de los más listos.

—Hace trescientos años que no duermo —dijo él tristemente, haciendo que Virginia abriese mucho sus hermosos ojos azules, llenos de asombro—. Hace ya trescientos años que no duermo, así es que me siento cansadísimo.

Virginia se puso muy seria, y sus finos labios se movieron como pétalos de rosa. Se acercó y arrodilló al lado del fantasma, contempló su rostro envejecido y arrugado.

—Pobrecito fantasma —profirió a media voz—, ¿y no hay ningún sitio donde pueda usted dormir?

—Allá lejos, pasando el pinar —respondió él en voz baja y soñadora—, hay un jardincito. La hierba crece en él alta y espesa; allí pueden verse las grandes estrellas blancas de la cicuta, allí el ruiseñor canta toda la noche. Canta toda la noche, y la luna de cristal helado deja caer su mirada y el tejo extiende sus brazos de gigante sobre los durmientes.

Los ojos de Virginia se empañaron de lágrimas y puso la cara entre sus manos.

—Se refiere usted al jardín de la Muerte —murmuró.

—Sí, de la Muerte. Debe ser hermosa. Descansar en la blanda tierra oscura, mientras las hierbas se balancean encima de nuestra cabeza, y escuchar el silencio. No tener ni ayer ni mañana. Olvidarse del tiempo y de la vida; morar en paz. Usted puede ayudarme; usted puede abrirme de par en par las puertas de la Muerte, porque el Amor la acompaña a usted siempre, y el Amor es más fuerte que la Muerte.

Virginia tembló. Un estremecimiento helado recorrió todo su ser, y durante unos instantes hubo un gran silencio. Le parecía vivir un sueño terrible. Entonces el fantasma habló de nuevo con una voz que resonaba como los suspiros del viento:

—¿Ha leído usted alguna vez la antigua profecía que hay sobre las vidrieras de la biblioteca?

—¡Oh, muchas veces! —exclamó la muchacha levantando los ojos—. La conozco muy bien. Está pintada con unas curiosas letras doradas y se lee con dificultad. No tiene más que estos seis versos:

Cuando una joven rubia logre hacer brotar
una oración de los labios del pecador,
cuando el almendro estéril dé fruto
y una niña deje correr su llanto,
entonces toda la casa recobrará la tranquilidad
y volverá la paz a Canterville.

Pero no sé lo que significan.

—Significan que tiene usted que llorar conmigo mis pecados, porque no tengo lágrimas, y que tiene usted que rezar conmigo por mi alma, porque no tengo fe, y entonces, si ha sido usted siempre dulce, buena y cariñosa, el ángel de la muerte se apoderará de mí. Verá usted seres terribles en las tinieblas y voces funestas murmurarán en sus oídos, pero no podrán hacerle ningún daño, porque contra la pureza de una joven no pueden nada las potencias infernales.

Virginia no contestó, y el fantasma se retorcía las manos en la violencia de su desesperación, sin dejar de mirar la rubia cabeza inclinada. De pronto se irguió la joven, muy pálida, con un fulgor en los ojos.

—No tengo miedo —dijo con voz firme— y rogaré al ángel que se apiade de usted.

Se levantó el fantasma de su asiento lanzando un débil grito de alegría, agarró la blonda cabeza entre sus manos, con una gentileza que recordaba los tiempos pasados, y la besó. Sus dedos estaban fríos como hielo y sus labios abrasaban como el fuego, pero Virginia no flaqueó; el fantasma la guió a través de la habitación sombría. Sobre un tapiz, de un verde apagado, estaban bordados unos pequeños cazadores. Soplaban en sus cuernos adornados de flecos y con sus lindas manos le hacían gestos de que retrocediese.

—¡Vete, Virginia! ¡Vete, vete! —gritaban.

Pero el fantasma le apretaba en aquel momento la mano con más fuerza, y ella cerró los ojos para no verlos. Horribles animales de colas de lagarto y de ojazos saltones parpadearon maliciosamente en las esquinas de la chimenea, mientras le decían en voz baja:

—Ten cuidado, Virginia, ten cuidado. Podríamos no volver a verte.

Pero el fantasma siguió adelante y Virginia no oyó nada. Cuando llegaron al extremo de la habitación, él se detuvo, murmurando unas palabras que ella no comprendió. Volvió Virginia a abrir los ojos y vio disiparse el muro lentamente, como una neblina, y abrirse ante ella una negra caverna. Un áspero y helado viento los azotó, sintiendo la muchacha que le tiraban del vestido.

—De prisa, de prisa —gritó el fantasma—, o será demasiado tarde.

Y en un instante el muro se cerró a sus espaldas y la Sala de los Tapices quedó vacía.

VI

Unos diez minutos después sonó la campana para el té y Virginia no bajó. La señora Otis envió a uno de los criados a buscarla. No tardó en volver, diciendo que no había podido descubrir a la señorita Virginia por ninguna parte. Como la muchacha tenía la costumbre de ir todas las tardes al jardín a recoger flores para la cena, la señora Otis no se inquietó en lo más mínimo. Pero sonaron las seis y Virginia no aparecía. Entonces su madre se sintió seriamente intranquila y envió a sus hijos en su busca, mientras ella y su marido recorrían todas las habitaciones de la casa. A las seis y media volvieron los gemelos, diciendo que no habían encontrado huellas de su hermana por ninguna parte. Entonces se inquietaron todos extraordinariamente, y nadie sabía qué hacer, cuando el señor Otis recordó de repente que pocos días antes habían permitido acampar en el parque a una tribu de gitanos. Así es que salió inmediatamente para Blackfell Hollow, acompañado de su hijo mayor y de dos de sus criados de la granja. El joven duque de Cheshire, completamente loco de inquietud, rogó con insistencia al señor Otis que lo dejase acompañarlo, pero éste se negó temiendo algún escándalo. Pero cuando llegó al sitio en cuestión vio que los gitanos se habían marchado. Se dieron prisa a huir, sin duda alguna, pues el fuego ardía todavía y quedaban platos sobre la hierba. Después de mandar a Washington y a los dos hombres que registrasen los alrededores, se apresuró a regresar y envió telegramas a todos los inspectores de Policía del condado, rogándoles que buscasen a una joven raptada por unos vagabundos o gitanos. Luego hizo que le trajeran su caballo, y después de insistir para que su mujer y sus tres hijos se sentaran a la mesa, partió con un criado por el camino de Ascot. Había recorrido apenas dos millas, cuando oyó un galope a su espalda. Se volvió, viendo al joven duque que llegaba en su caballo, con la cara sofocada y la cabeza descubierta.

—Lo siento muchísimo, señor Otis —le dijo el joven con voz entrecortada—, pero me es imposible comer mientras Virginia no aparezca. Se lo ruego: no se enfade conmigo. Si nos hubiera permitido casarnos el año último, no habría pasado esto nunca. No me rechaza usted, ¿verdad? ¡No puedo ni quiero irme!

El ministro no pudo menos que dirigir una sonrisa a aquel joven lindo y pícaro, sintiéndose muy conmovido ante la abnegación que mostraba por Virginia. Inclinándose sobre su caballo, le acarició los hombros bondadosamente, y le dijo:

—Pues bien, Cecil: ya que insiste usted en venir, no me queda más remedio que aceptarle en mi compañía; pero, eso sí, tengo que comprarle un sombrero en Ascot.

—¡Al diablo con los sombreros! ¡Lo que quiero es a Virginia! —exclamó el joven duque.

Y acto seguido galoparon hasta la estación de ferrocarril. Una vez allí, el señor Otis preguntó al jefe si no habían visto en el andén de salida a una joven cuyas señas correspondiesen con las de Virginia, pero no averiguó nada sobre ella. El jefe de la estación expidió telegramas a todas las estaciones, y le prometió ejercer una vigilancia minuciosa. Después de comprar un sombrero para el joven duque en una tienda que se disponía a cerrar, el señor Otis cabalgó hasta Bexley, pueblo situado cuatro millas más allá, y que, según le dijeron, era muy frecuentado por los gitanos. Hicieron levantarse al guardia rural, pero no pudieron conseguir ningún dato de él. Así es que, después de atravesar la plaza, los dos jinetes tomaron otra vez el camino de casa, llegando a Canterville a eso de las once de la noche, rendidos de cansancio y con el corazón desgarrado por la inquietud. Se encontraron allí con Washington y los gemelos, esperándolos a la puerta con linternas, porque la avenida estaba muy oscura. No se había descubierto la menor señal de Virginia. Los gitanos fueron alcanzados en el prado de Broxley, pero no estaba la joven entre ellos. Explicaron la prisa de su marcha diciendo que habían equivocado el día en que debía celebrarse la Feria de Chorton y que el temor de llegar demasiado tarde los obligó a darse prisa. Además, parecieron desconsolados por la desaparición de Virginia, pues estaban agradecidísimos al señor Otis por haberles permitido acampar en su parque. Cuatro de ellos se quedaron atrás para tomar parte en las pesquisas. Se hizo vaciar el estanque de las carpas. Registraron la finca, pero no consiguieron nada. Era evidente que Virginia estaba perdida, al menos por aquella noche, y fue con un aire de profundo abatimiento como entraron en casa el señor Otis y los jóvenes, seguidos del criado, que llevaba de las riendas a los caballos. En el salón se encontraron con el grupo de criados, llenos de terror. La pobre señora Otis estaba tumbada sobre un sofá de la biblioteca, casi loca de espanto y de ansiedad, y la vieja ama de llaves le humedecía la frente con agua de colonia. Fue una comida tristísima. No se hablaba apenas, y hasta los mismos gemelos parecían despavoridos y consternados, pues querían mucho a su hermana. Cuando terminaron, el señor Otis, a pesar de los ruegos del joven duque, mandó que todo el mundo se acostase, ya que no se podía hacer nada más aquella noche; al día siguiente telegrafiaría a Scotland Yard para que pusieran inmediatamente varios detectives a su disposición. En el preciso momento en que salían del comedor sonaron las doce en el reloj de la torre. Apenas acababan de extinguirse las vibraciones de la última campanada, cuando se oyó un crujido acompañado de un grito penetrante. Un trueno formidable hizo temblar la casa, una melodía, que no tenía nada de terrenal, flotó en el aire. Un lienzo de la pared se despegó bruscamente en lo alto de la escalera, y sobre el rellano, muy pálida, casi blanca, apareció Virginia, llevando en la mano un cofrecito. Inmediatamente se precipitaron todos hacia ella. La señora Otis la estrechó apasionadamente contra su corazón. El joven duque casi la ahogó con la violencia de sus besos, y los gemelos ejecutaron una danza de guerra salvaje alrededor del grupo.

—¡Ah...! ¡Hija mía! ¿Dónde te habías metido? —dijo el señor Otis, bastante enfadado, creyendo que les había querido dar una broma a todos ellos—. Cecil y yo hemos registrado toda la comarca en busca tuya, y tu madre ha estado a punto de morirse de espanto. No vuelvas a hacer bromas tan pesadas.

—¡Menos al fantasma, menos al fantasma! —gritaron los gemelos, continuando con sus cabriolas.

—Hija mía querida, gracias a Dios que te hemos encontrado; ya no nos volveremos a separar —murmuraba la señora Otis, besando a la muchacha, toda trémula, y acariciando sus cabellos de oro, que se desparramaban sobre sus hombros.

—Papá —dijo dulcemente Virginia—, estaba con el fantasma. Ha muerto ya. Es preciso que vayan a verlo. Fue muy malo, pero se ha arrepentido sinceramente de todo lo que había hecho, y antes de morir me ha dado este cofrecito de hermosas joyas.

Toda la familia la contempló muda y aterrada, pero ella tenía un aire muy solemne y muy serio. Fue entonces cuando, dando media vuelta, los precedió a través del hueco de la pared y bajaron a un corredor secreto. Washington los seguía llevando una vela encendida, que agarró de la mesa. Por fin llegaron a una gran puerta de roble erizada de recios clavos. Virginia la tocó, y entonces la puerta giró sobre sus goznes enormes y se hallaron en una habitación estrecha y baja, con el techo abovedado, y que tenía una ventanita. Junto a una gran argolla de hierro empotrada en el muro, con la cual estaba encadenado, se veía un largo esqueleto. Parecía estirar sus dedos descarnados, como intentando llegar a un antiguo plato y a una jarra, de forma antigua también, colocados de tal forma que no pudiese alcanzarlos. La jarra había estado llena de agua, indudablemente, pues por dentro estaba cubierta de un moho verde. Sobre el plato no quedaba más que un montón de polvo. Virginia se arrodilló junto al esqueleto, y, uniendo sus manos, se puso a rezar en silencio, mientras la familia contemplaba con asombro la horrible tragedia cuyo secreto acababa de ser revelado.

—¡Miren! —exclamó de pronto uno de los gemelos, que había ido a mirar por la ventana, queriendo adivinar de qué lado del edificio caía aquella habitación—. ¡Miren! El antiguo almendro, que estaba seco, ha florecido. Se ven admirablemente las hojas a la luz de la luna.

—¡Dios lo ha perdonado! —dijo seriamente Virginia, levantándose. Y un magnífico resplandor parecía iluminar su rostro.

—¡Eres un ángel! —exclamó el joven duque, ciñéndole el cuello con los brazos y besándola.

VII

Cuatro días después de estos curiosos sucesos, a eso de las once de la noche, salía un fúnebre cortejo de Canterville House. El carro iba arrastrado por ocho caballos negros, cada uno de los cuales llevaba adornada la cabeza con un gran penacho de plumas de avestruz, que se balanceaban. La caja de plomo iba cubierta con un rico paño de púrpura, sobre el cual estaban bordadas en oro las armas de los Canterville. A cada lado del carro y de los coches marchaban los criados llevando antorchas encendidas. Toda aquella comitiva tenía un aspecto grandioso e impresionante. Lord Canterville presidía el duelo; había venido del país de Gales expresamente para asistir al entierro, y ocupaba el primer coche con la pequeña Virginia. Después iban el ministro de los Estados Unidos y su esposa, y detrás, Washington y los dos muchachos. En el último coche iba la señora Umney. Todos sentían que ella, después de haber sido atemorizada por el fantasma por espacio de más de cincuenta años, tenía realmente derecho de verlo desaparecer para siempre. Cavaron una profunda fosa en un rincón del cementerio, justo debajo del enebro, y dijo las últimas oraciones, del modo más solemne posible, el reverendo Augusto Dampier. Luego de finalizada la ceremonia los criados, según una vieja tradición de la familia Canterville, apagaron las antorchas, y al bajar el ataúd a la tumba, Virginia se adelantó, colocando encima de ella una gran cruz hecha con flores de almendro, blancas y rojas. En aquel momento salió la luna detrás de una nube e inundó el cementerio con sus silenciosas oleadas de plata, y de un bosquecillo cercano se elevó el canto de un ruiseñor. Virginia recordó la descripción que le hizo el fantasma del Jardín de la Muerte; sus ojos se llenaron de lágrimas y apenas pronunció una palabra durante el regreso.

A la mañana siguiente, antes de que lord Canterville partiese para la ciudad, la señora Otis conferenció con él respecto de las joyas entregadas por el fantasma a Virginia. Eran soberbias, magníficas. Había, sobre todo, un collar de rubíes, en una antigua montura veneciana, que era un espléndido trabajo del siglo XVI, cuyo valor era tan elevado que el señor Otis sentía escrúpulos en cuanto a permitir que su hija lo aceptara.

—Milord —dijo el ministro—, sé que en este país los bienes intestados incluyen por igual desde bagatelas hasta bienes raíces, y es evidente, evidentísimo para mí, que estas joyas deben quedar en poder de usted como legado de familia. Le ruego, por tanto, que consienta en llevárselas a Londres, considerándolas simplemente como una parte de su herencia que le fuera restituida en circunstancias extraordinarias. En cuanto a mi hija, no es más que una joven y hasta hoy, me complace decirlo, siente poco interés por estas frivolidades de lujo superfluo. He sabido igualmente, por la señora Otis, cuya autoridad no es despreciable en cosas de arte, dicho sea de paso (pues ha tenido la suerte de pasar varios inviernos en Boston, siendo muchacha), que esas piedras preciosas tienen un gran valor monetario, y que si se pusieran en venta representarían una bonita suma. En estas circunstancias, lord Canterville, reconocerá usted, indudablemente, que no puedo permitir que queden en manos de ningún miembro de la familia. Además de que todas estas tonterías y juguetes, por muy apreciados y necesitados que sean a la dignidad de la aristocracia británica, estarían fuera de lugar entre personas educadas según los severos principios, pudiera decirse, de la sencillez republicana. Quizá me atrevería a asegurar que Virginia tiene gran interés en que le deje usted el cofre que encierra esas joyas, en recuerdo de las locuras y el infortunio del antepasado. Y como ese cofre es muy viejo y, por consiguiente, deterioradísimo, quizá encuentre usted razonable acoger favorablemente su petición. En cuanto a mí, confieso que me sorprende grandemente ver a uno de mis hijos demostrar interés por un objeto de la Edad Media, y la única explicación que le encuentro es que Virginia nació en un barrio de Londres, al poco tiempo de regresar la señora Otis de una excursión a Atenas.

Lord Canterville escuchó imperturbable el discurso del digno ministro, atusándose de cuando en cuando el bigote gris para ocultar una sonrisa involuntaria. Una vez que hubo terminado el señor Otis, le estrechó cordialmente la mano y contestó:

—Mi querido amigo, su encantadora hijita ha prestado un servicio importantísimo a mi desgraciado antecesor. Mi familia y yo le estamos agradecidos por su maravilloso valor y por la sangre fría que ha demostrado. Las joyas le pertenecen, sin duda alguna, y creo, a fe mía, que si tuviese yo la suficiente insensibilidad para quitárselas, el viejo tunante saldría de su tumba al cabo de quince días para infernarme la vida. En cuanto a que sean joyas de familia, no podrían serlo sino después de estar especificadas como tales en un testamento, en forma legal, y la existencia de estas joyas permaneció siempre ignorada. Le aseguro que son tan mías como de su mayordomo. Cuando la señorita Virginia sea mayor, sospecho que le encantará tener cosas tan lindas que llevar. Además, señor Otis, olvida usted que adquirió usted el inmueble y el fantasma con la compra de la propiedad. De modo que todo lo que pertenece al fantasma le pertenece a usted. A pesar de las pruebas de actividad que ha dado Simón por el corredor, no por eso deja de estar menos muerto, desde el punto de vista legal, y su compra lo hace a usted dueño de lo que le pertenecía a él.

El señor Otis se quedó muy preocupado ante la negativa de lord Canterville, y le rogó que reflexionara nuevamente su decisión; pero el excelente par se mantuvo firme y convenció al ministro de que aceptase el regalo del fantasma. Cuando, en la primavera de 1890, la duquesita de Cheshire fue presentada por primera vez en la recepción de la reina, con motivo de su casamiento, sus joyas fueron motivo de admiración. Y Virginia recibió la corona, que es la recompensa de toda niña norteamericana, y se casó con su enamorado muchacho apenas alcanzó la edad requerida. Eran ambos tan agradables y se amaban de tal modo, que a todo el mundo le encantó ese matrimonio, menos a la vieja marquesa de Dumbleton, que venía haciendo todo lo posible por atrapar al joven duque y casarlo con una de sus siete hijas. Para conseguirlo ofreció al menos tres grandes comidas costosísimas. El señor Otis sentía una gran simpatía personal por el joven duque, pero teóricamente era enemigo de los títulos y, según sus propias palabras, "era de temer que, entre las influencias debilitantes de una aristocracia ávida de placer, fueran olvidados por Virginia los verdaderos principios de la sencillez republicana". Pero nadie hizo caso de sus observaciones, y, cuando avanzó por la nave lateral de la iglesia de St

George's, en Hanover Square, llevando a su hija del brazo, no había hombre más orgulloso y ufano a lo largo y a lo ancho de todo el territorio de Inglaterra.

Después de la luna de miel, el duque y la duquesa regresaron a Canterville Chase, y al día siguiente de su llegada, por la tarde, fueron a dar una vuelta por el cementerio solitario,junto al bosque de pinos. Al principio les preocupó la inscripción que debía grabarse sobre la losa fúnebre de Simón, pero concluyeron que se pondrían simplemente las iníciales del viejo gentilhombre y los versos escritos en la ventana de la biblioteca. La duquesa llevaba unas rosas magníficas, que desparramó sobre la tumba; después de permanecer allí un rato, pasaron por las ruinas del claustro de la antigua abadía. La duquesa se sentó sobre una columna caída, mientras su marido, recostado a sus pies y fumando un cigarrillo, contemplaba sus lindos ojos. De pronto tiró el cigarrillo y, tomándole una mano, le dijo:

—Virginia, una mujer no debe tener secretos con su marido.

—Y no los tengo, querido Cecil.

—Sí los tienes —respondió sonriendo—. No me has dicho nunca lo que sucedió mientras estuviste encerrada con el fantasma.

—Ni se lo he dicho a nadie —respondió seriamente Virginia.

—Ya lo sé; pero bien me lo podrías decir a mí.

—Cecil, te ruego que no me lo preguntes. No puedo realmente decírtelo. ¡Pobre Simón! Le debo mucho. Sí; no te rías, Cecil; le debo mucho realmente. Me hizo ver lo que es la vida, lo que significa la Muerte y por qué el Amor es más fuerte que la Muerte.

El duque se levantó para besar amorosamente a su mujer.

—Puedes guardar tu secreto mientras yo posea tu corazón —dijo susurrándole.

—Siempre fue tuyo.

—Y se lo contarás algún día a nuestros hijos, ¿verdad?

Virginia se ruborizó.

Índice

Índice